# SEM
# DISTRAÇÕES

# BOB GOFF

# SEM DISTRAÇÕES

## Entenda Seu Propósito
## Redescubra Sua Alegria

Tradução
Maíra Meyer

ALTA BOOKS
GRUPO EDITORIAL

Rio de Janeiro, 2023

# Sem Distrações

Copyright © 2023 da Starlin Alta Editora e Consultoria Eireli.
ISBN: 978-85-508-1834-4

*Translated from original Undistracted. Copyright © 2022 by Bob Goff. ISBN 978-1-4002-2697-9. This translation is published and sold by permission of HarperCollins Christian Publishing, Inc, the owner of all rights to publish and sell the same. PORTUGUESE language edition published by Starlin Alta Editora e Consultoria Eireli, Copyright © 2023 by Starlin Alta Editora e Consultoria Eireli.*

Impresso no Brasil — 1ª Edição, 2023 — Edição revisada conforme o Acordo Ortográfico da Língua Portuguesa de 2009.

---

Dados Internacionais de Catalogação na Publicação (CIP) de acordo com ISBD

G612s  Goff, Bob
Sem Distrações: Entenda seu Propósito, Redescubra sua Alegria / Bob Goff ; traduzido por Maira Meyer. - Rio de Janeiro : Alta Books, 2023.
240 p. ; 16cm x 23cm.

Tradução de: Undistracted
ISBN: 978-85-508-1834-4

1. Autoajuda 2. Vida cristã I. Meyer, Maira. II. Título

2022-3298
CDD 158.1
CDU 159.947

Elaborado por Vagner Rodolfo da Silva - CRB-8/9410

Índice para catálogo sistemático:
1. Autoajuda 158.1
2. Autoajuda 159.947

---

Todos os direitos estão reservados e protegidos por Lei. Nenhuma parte deste livro, sem autorização prévia por escrito da editora, poderá ser reproduzida ou transmitida. A violação dos Direitos Autorais é crime estabelecido na Lei nº 9.610/98 e com punição de acordo com o artigo 184 do Código Penal.

A editora não se responsabiliza pelo conteúdo da obra, formulada exclusivamente pelo(s) autor(es).

**Marcas Registradas:** Todos os termos mencionados e reconhecidos como Marca Registrada e/ou Comercial são de responsabilidade de seus proprietários. A editora informa não estar associada a nenhum produto e/ou fornecedor apresentado no livro.

**Erratas e arquivos de apoio:** No site da editora relatamos, com a devida correção, qualquer erro encontrado em nossos livros, bem como disponibilizamos arquivos de apoio se aplicáveis à obra em questão.

Acesse o site www.altabooks.com.br e procure pelo título do livro desejado para ter acesso às erratas, aos arquivos de apoio e/ou a outros conteúdos aplicáveis à obra.

**Suporte Técnico:** A obra é comercializada na forma em que está, sem direito a suporte técnico ou orientação pessoal/exclusiva ao leitor.

A editora não se responsabiliza pela manutenção, atualização e idioma dos sites referidos pelos autores nesta obra.

---

**Produção Editorial**
Grupo Editorial Alta Books

**Diretor Editorial**
Anderson Vieira
anderson.vieira@altabooks.com.br

**Editor**
José Ruggeri
j.ruggeri@altabooks.com.br

**Gerência Comercial**
Claudio Lima
claudio@altabooks.com.br

**Gerência Marketing**
Andréa Guatiello
andrea@altabooks.com.br

**Coordenação Comercial**
Thiago Biaggi

**Coordenação de Eventos**
Viviane Paiva
comercial@altabooks.com.br

**Coordenação ADM/Finc.**
Solange Souza

**Coordenação Logística**
Waldir Rodrigues

**Gestão de Pessoas**
Jairo Araújo

**Direitos Autorais**
Raquel Porto
rights@altabooks.com.br

**Assistente Editorial**
Milena Soares

**Produtores Editoriais**
Illysabelle Trajano
Maria de Lourdes Borges
Paulo Gomes
Thales Silva
Thiê Alves

**Equipe Comercial**
Adenir Gomes
Ana Carolina Marinho
Ana Claudia Lima
Daiana Costa
Everson Sete
Kaique Luiz
Luana Santos
Maira Conceição
Natasha Sales

**Equipe Editorial**
Ana Clara Tambasco
Andreza Moraes
Arthur Candreva
Beatriz de Assis
Beatriz Frohe

Betânia Santos
Brenda Rodrigues
Caroline David
Erick Brandão
Elton Manhães
Fernanda Teixeira
Gabriela Paiva
Henrique Waldez
Karolayne Alves
Kelry Oliveira
Lorrahn Candido
Luana Maura
Marcelli Ferreira
Mariana Portugal
Matheus Mello
Patricia Silvestre
Viviane Corrêa
Yasmin Sayonara

**Marketing Editorial**
Amanda Mucci
Guilherme Nunes
Livia Carvalho
Pedro Guimarães
Thiago Brito

---

**Atuaram na edição desta obra:**

**Tradução**
Maira Meyer

**Copidesque**
Renan A. Santos

**Revisão Gramatical**
Alessandro Thomé
Smirna Cavalheiro

**Diagramação**
Cristiane Saavedra

**Capa**
Joyce Matos

---

Editora afiliada à:

Rua Viúva Cláudio, 291 – Bairro Industrial do Jacaré
CEP: 20 970-031 – Rio de Janeiro (RJ)
Tels.: (21) 3278-8069 / 3278-8419
www.altabooks.com.br – altabooks@altabooks.com.br
Ouvidoria: ouvidoria@altabooks.com.br

*Este livro é dedicado à minha Amada Maria Goff e à nossa família em expansão. Obrigado, Lindsey, Jon, Richard, Ashley, Adam e Kaitlyn. Vocês são meus mestres e sou seu maior fã. A maioria das coisas que já escrevi em um livro aprendi pela mera observação de suas belas vidas. Certa vez, G. K. Chesterton disse a seus amigos: "Desculpem a carta extensa. Não tive tempo para escrever uma curta." Este livro é uma carta extensa, a qual vocês me ajudaram a escrever para mim mesmo, sobre o tipo de vida sem distrações que luto para ter. Seus exemplos de vida me indicam o caminho.*

*Também dedico estas palavras a meu amigo Bill Lokey, que me dedicou um amor extraordinário enquanto travava uma corajosa batalha contra o câncer. Obrigado por me ensinar a não ter medo nem me distrair com o que acontece depois que a vida acaba... e pela promessa de que chegar ao céu será tão simples como saltar do barco para o cais. Bem-vindo à terra firme, Bill.*

*E, por fim, a todos os que se esqueceram do trabalho importante que foram chamados para fazer por estarem distraídos com coisas aparentemente mais urgentes, mesmo que não o fossem. Minha esperança é a de que estas páginas os ajudem a encontrar seu caminho de volta à vida maior e sem distrações que Jesus o convidou a viver. Seja implacável nos seus esforços para encontrar esse lugar; faça o que for preciso para chegar lá. E, ao chegar, que nada além do céu o remova de lá.*

# SUMÁRIO

AGRADECIMENTOS — IX

ENTRE EM CONTATO COM BOB — XIII

1: A DESTRUIÇÃO DA DISTRAÇÃO — 1

2: A FECHADURA DA ETERNIDADE — 11

3: LIBERTANDO-SE AO VOLTAR PARA CASA — 23

4: A FELICIDADE DA BUSCA — 35

5: QUANTOS DEDOS ESTOU LEVANTANDO? — 47

6: PASSE DE ACESSO ILIMITADO — 57

7: JESUS NA SALA — 65

8: NADA DE STALKEAR, POR FAVOR — 75

9: FADAS DO DENTE E AVIÕES QUE ENCOLHEM — 87

10: CONSIDERE-SE UMA ESTRELA — 101

11: "CESSAR-FOGO!" — 113

12: O BOTÃO ERRADO — 123

| | |
|---|---|
| 13: O NARIZ DE PINÓQUIO | 133 |
| 14: AS DESVENTURAS DE UM REJEITADO EM SÉRIE | 143 |
| 15: PARE DE CORRER ATRÁS DO CAVALO | 155 |
| 16: EXPULSOS DE ÁGUAS RASAS | 165 |
| 17: "OH, MEU DEUS!" | 177 |
| 18: CINCO MINUTOS A PARTIR DE AGORA | 187 |
| 19: TERMINE SEU TRABALHO | 199 |
| EPÍLOGO | 211 |
| NOTAS | 217 |
| ÍNDICE | 221 |

# AGRADECIMENTOS

Escrever um agradecimento é sempre um prazer. É como disparar a última leva de fogos de artifício no céu noturno como a derradeira comemoração de alegria e conclusão de um livro. Minha Amada Maria Goff, conseguimos. Terminamos outro livro. Nenhuma das palavras que escrevi faria diferença se você não fosse parte delas.

Não é preciso uma aldeia para escrever um livro, mas uma família maravilhosa e alguns amigos dedicados são necessários. Agradeço a Lindsey, Jon, Richard, Ashley, Adam, Kaitlyn e a um grande círculo de amigos por me darem um suprimento vitalício de apoio e histórias para contar. Vocês continuam sendo meus mestres e estrelas-guia. Sem o espírito envolvente de vocês e o amor incondicional que me enviam, estou certo de que teria continuado a levar uma vida repleta de distrações até o fim.

Agradeço também a meu pai, que tornou minha vida possível e meus sonhos atingíveis. Adoro ser seu vizinho.

Sou grato à corajosa equipe da Love Does e seus apoiadores ao redor do mundo, bem como a nossos alunos e funcionários no Afeganistão, na Somália, em Uganda, no Nepal, na Índia, no Uzbequistão, na República Democrática do Congo, na República Dominicana e no Haiti. Sua liderança corajosa mudará tudo.

Todos vocês continuam a liberar uma quantidade impressionante de amor no mundo.

A Stèphane, Brenda e sua linda família, Bubba e Cindy, Kevin e Gwen, Tom, Stacey e nossa família, e Michele Velcheck e equipe, e o pessoal que se encontrou comigo nas manhãs de sexta durante décadas. Desejo expressar minha gratidão imensa a Rick Parker por manter meu coração funcionando e também gostaria de enviar um agradecimento especial ao chefe do cais no Porto de Ala Wai por tornar possível um de meus sonhos.

Devo muito a Jody Luke, que tem sido um apoio e um estímulo constantes e extremamente necessários por décadas, e a toda a equipe da Love Does, incluindo Annie e Drew. Agradeço também à equipe de Bob Ink, que manteve o navio flutuando, salvando a ele e a mim quando comecei a afundá-lo. Obrigado, Becky Goodnight, Jordan Craig, Stephanie Wesson, Becca Phillips, Savannah Potafiy, Patrick Dodd, Scott Schimmel, John Richmond e Tyler Wolford pelo trabalho incansável a mim dispensado. A quantidade incontável de pessoas com quem vocês interagem vão embora se sentindo amadas, porque vocês são extremamente bons nisso.

Muito obrigado também a meus amigos e coconspiradores Kim Stewart, Taylor Hughes, Megan Tibbits e Jay Desai. Tem sido um prazer inigualável viajar de ônibus, acompanhá-los e carregar seus livros, sacolas de truques e instrumentos, pois vocês espalharam uma quantidade impressionante de esperança e alegria no mundo usando seus dons imensos.

Um projeto como este também precisa de uma equipe editorial imperturbável para levar um livro até a linha de chegada. Agradeço a toda a equipe de Thomas Nelson que trabalhou para imprimir estas palavras, até quando eu me atrasei consideravelmente. Muitíssimo obrigado a Tim Paulson, Stephanie Tresner, Kristen Golden, Jennifer Smith, Janene MacIvor, Claire Drake, Daniel Marrs, Rachel Tockstein e à equipe do Process Creative, e a Richard Goff pelo projeto de capa.

Gostaria de enviar meus agradecimentos especiais a Bryan Norman, que tem sido meu braço direito em todos os livros e que mais uma vez melhorou todas as minhas palavras. Se livros tivessem pastores, eu faria parte de sua congregação. Você é um gigante gentil, talentosíssimo e generoso em relação a tempo e contribuições. Você ama a Deus e tem sido o coração por trás de cada livro que escrevi. Suas impressões digitais são como uma marca-d'água existente em cada página deste livro, e sua amizade me ajudou a entender mais minha própria fé.

Também adquiri uma visão e tanto com a equipe do centro de retiro The Oaks e nosso programa equestre. Agradeço a Miles e Venessa Adcox e também a Jamie Kern Lima e Paulo Lima por sonharem com esse lugar e o terem tornado uma realidade. E obrigado à equipe que faz o amor caminhar em The Oaks. Adam e Kaitlyn Goff, minha Amada Maria, Justin, Stefanie e Ellie Boyce, Annie Bishop, Maggie Garrett, Jeremy Ward, Avery Wringlever, Darcy Murillo, Ben Love e nossa equipe culinária liderada por Jessica Slama. A Darrell Norman e Mago Santiago, Holly Anderson, Heidi Pullen, dois amigos chamados Efrim e Reuben, e a todos que arrumam as camas e criam o clima.

Sem cada uma de suas contribuições singulares à minha vida, este livro não teria acontecido.

# ENTRE EM CONTATO COM BOB

Bob é apaixonado por pessoas. Ele adoraria conversar com você caso deseje contatá-lo pelo e-mail info@bobgoff.com. Você também pode segui-lo no Instagram e no Twitter, @bobgoff.

Se quiser dar uma ligada para ele, este é o número de seu celular: (619) 985-4747.

Bob é coach pessoal. Se tiver interesse, você pode obter mais informações acessando coachingwithbobgoff.com. Ele também está disponível para inspirar e engajar sua equipe, organização ou público. Até o momento, ele já deu palestras para mais de 2 milhões de pessoas, trazendo consigo seu ponto de vista e storytelling exclusivos. Se tiver interesse em contratar Bob para seu evento, acesse bobgoff.com/invite.

# CAPÍTULO 1

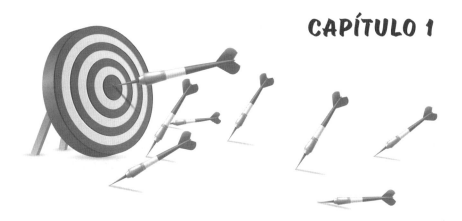

## A DESTRUIÇÃO DA DISTRAÇÃO

*A vida com propósito é como um cavalo usando antolhos.*

Alguns anos atrás, viajei com amigos para o Curdistão, um lugar próximo à fronteira do Irã. Havíamos inaugurado uma escola na região e estávamos construindo um hospital e um alojamento para refugiados. Certa manhã, acordamos cedo e fomos até o topo de uma montanha que dividia o Iraque e o Irã. Era uma área rochosa e sem descrição. Eu me lembrei de que três norte-americanos foram levados presos por guardas da fronteira iraniana uma década atrás por atravessarem para o Irã enquanto faziam trilha nessa montanha. Percebi como seria fácil para alguém se confundir sobre em qual dos lados da fronteira estava. Nem sempre uma linha em um mapa corresponde a marcas no chão.

Enquanto caminhava com meus amigos, vimos uma placa indicando um campo minado separando os dois países. *Deve ser a fronteira*, pensei. Não entendi o idioma na placa, mas a caveira, os ossos cruzados e o desenho de uma explosão contavam a história com muita clareza. Decidi jogar algumas pedras no campo minado para ver se acontecia alguma coisa. Eu sei, eu sei, provavelmente não foi uma ideia lá muito boa, mas naquele momento foi a melhor má ideia em que consegui pensar. Após dez ou quinze minutos, voltei a olhar para a placa do campo minado e reparei que ela havia sido arrancada. Não estávamos no perímetro jogando pedras *no* campo minado; nós podíamos estar *dentro* do campo minado.

Seja honesto. De vez em quando, todos nós nos encontramos em lugares perigosos quando achamos que estamos em segurança. A distração é o que nos leva a esse tipo de campo minado. Não importa quem seja, de algum modo ou em algum lugar você atravessará e se encontrará no meio de algo do que pensou que estava apenas próximo ou na fronteira.

Você e eu precisamos reconhecer os sinais de que estamos ficando distraídos. Embora possamos notar nossa mente divagando, também precisamos nos atentar à natureza tortuosa de nossas atividades. Em vez de tomar decisões condizentes com o que Deus afirma que somos, talvez estejamos agindo como a pessoa que outros querem que sejamos. Talvez a comparação o esteja distanciando de si mesmo. Talvez pressões financeiras, inseguranças arraigadas ou fracassos passados estejam influenciando suas decisões atuais além da conta. Precisamos reconhecer essas coisas em nossa vida antes de darmos início ao trabalho corajoso de seguir em frente.

Tente o seguinte: reserve um dia inteiro para anotar como você está investindo seu tempo entre os projetos ou compromissos importantes de sua vida. Não anote apenas "Escrevi meu artigo hoje" ou "Passei o dia me preparando para minha viagem do fim de semana". Anote todas as coisas que o distraíram de escrever ou de se preparar para o fim de semana. Mais uma vez, seja honesto: "Fui aos correios. Expulsei o cachorro do vizinho de meu quintal. Comparei meu fracasso com o sucesso de outra pessoa. Comi um biscoito recheado." Fale a verdade e admita que comeu três. Distrações como essas constituem o campo minado em que você está neste instante, não aquele em cujo perímetro você pensa que está. Milhares de distrações despercebidas estão se intrometendo em sua alegria e o impedindo de viver o tipo de propósito focado que trará a vida que você tanto almeja.

Não se sinta mal com as coisas que estão roubando sua atenção. Em determinado momento, todos ficamos distraídos. Isso é algo que já vem instalado em nosso sistema operacional. Distraímo-nos de nossos objetivos e propósitos maiores por circunstâncias temporárias. Podemos distrair uns aos outros e até nos afastar de Deus e do que realmente acreditamos que é verdadeiro. Infelizmente, o barco com todo o bem que poderíamos trazer ao mundo está sendo tão afundado pelas várias coisas que nos distanciam do cais, que não conseguimos mais voltar para a praia. Ficamos presos no passado, preocupados com o presente ou distraídos com o futuro. Não nos atemos mais à vida no lugar onde estamos. Em vez disso, nos afastamos dela e nos transformamos em indivíduos pouco semelhantes às pessoas que Deus queria que nos tornássemos.

Inaugurei com alguns amigos um centro de retiro chamado The Oaks, no sul da Califórnia, e fiz gravações com um grupo de pessoas divertidas e muito criativas. Elas me explicaram que tinham em mente uma cena final de encerramento em que colocariam algumas câmeras em drones e me filmariam segurando balões no topo de uma caixa-d'água de 18 metros de altura na propriedade. Tudo o que eu precisava fazer era subir no topo dela. Parecia outra ideia bem perigosa, então demos início aos preparativos imediatamente. A caixa-d'água fica em uma grande colina coberta de arbustos que chegam até a cintura de uma pessoa. Pegamos uma pequena estrada até o topo dela com dezenas de balões coloridos saindo pelas janelas.

Quando cheguei até a base da caixa-d'água, olhei para cima e vi as dezenas de degraus que conduziam ao topo. Não seria fácil. O vento soprava bem forte, e, quando olhei para cima, fiquei 100% concentrado em contar os degraus, planejar meus movimentos e pensar em como poderia chegar ileso até lá junto com os balões. Se eu despencasse, ao menos poderia cair em cima dos balões, certo? Continuei em pé na base da caixa-d'água por longos minutos, olhando para cima e reunindo todos os detalhes que julguei necessários para orientar minha escalada. Por nenhum motivo específico, parei de olhar para cima, olhei para baixo e percebi uma cascavel enrolada a meus pés. *Cruzes!*

Se eu tivesse sido mordido, esta história teria sido muito melhor. Eu me perguntava se era flexível o bastante para erguer o tornozelo até o rosto e sugar o veneno para fora. Não vou mentir, teria sido quase uma postura de power yoga. Recuei devagar, grato por não ter tido uma distensão para salvar minha própria vida. Esse episódio me fez refletir. Às vezes ficamos tão ocupados olhando para cima e para a frente tentando descobrir os próximos movimentos em nossa vida — ou olhando para trás, para todos os lugares onde estivemos —, que não olhamos para baixo e descobrimos onde estamos realmente.

Em certo sentido, todos fomos mordidos por algo tão venenoso quanto a cascavel: a imensa quantidade de distrações que nos rodeiam. Passamos boa parte da vida lutando por foco, sem saber como interagir com familiares ou amigos. Preocupamo-nos com nossa popularidade e nossa fé. Questionamos nossos cursos universitários e escolhas de carreira. Às vezes, casais também se perguntam sobre suas escolhas. *Será que escolhi a pessoa certa? Eu sou a pessoa certa? Quem mudou? Eu? Você? Ambos? E o que faremos agora?*

Não é de admirar que estejamos confusos. Nascemos bebês e somos colocados nos braços de pais totalmente amadores sem nenhum manual de instruções e, em geral, nenhuma dica sobre como nos criar. A maioria de nós começa falido ou com problemas, e alguns permanecem assim. Alguns ficam ricos, mas adquirem uma visão distorcida de riqueza; outros, ainda, nunca encontram a cura na busca pela plenitude. Some-se a isso o fato de estarmos seguindo um Deus que não podemos ver, por uma vida que não podemos mensurar, a um paraíso que não podemos compreender, por causa de uma graça que não obtemos. Repito: é de admirar que estejamos meio atrapalhados?

Na verdade, todos nós estamos tentando construir o avião enquanto o pilotamos — entendendo-o conforme prosseguimos. Isso significa mais rampas de saída que de entrada, mais chances de confusão que de certeza e mais ambiguidade que clareza. Trocando em miúdos, a maior parte da vida pode nos fazer sentir completa, intrínseca, absoluta e totalmente *distraídos*. Quando isso acontece, uma das primeiras vítimas é nossa alegria.

Toda essa imprecisão também cai direto nas mãos da escuridão. Não sou desses que veem o diabo em cada esquina, mas estou começando a perceber que ele tem um plano inteligente. Não acredito que ele queira nos destruir com um ataque óbvio e frontal. Não, acredito que o mal quer nos distrair de expressar nossos dons e de fazer o que viemos fazer. A escuridão raramente se contenta em nos ferir com um só golpe se pode nos machucar da mesma forma com milhares de cortes de papel. Honestamente, parece que o mal tem feito um bom trabalho em nos afastar da luta e nos enredar nas cordas da distração.

Sabe esses bloquinhos que colocam nas estradas e que fazem *tunc-tunc-tunc-tunc-tunc* se você desvia da pista? Eles se chamam "tachas". Quero que este livro seja como as tachas na sua vida. Ouça: você está em um caminho. Está indo a algum lugar. Não me importo se você é piloto da NASCAR ou está esperando sua carteira de motorista chegar; é comum nos desviarmos uma vez na vida, outra na morte. E não do tipo maneiro de desvio, como os drifts que você vê nos filmes ou no TikTok — do tipo ruim, que o deixará deitado em uma vala. Este livro lhe dará algumas ideias sobre como retomar a estrada, refocar, voltar a ter clareza sobre seus propósitos duradouros e começar a viver uma vida menos distraída e mais cheia de alegria agora mesmo. Ninguém pede permissão para se manter na estrada; e você também não precisa de permissão para viver sua vida. É só decidir neste exato instante que você se aterá à vida rica, significativa, bela e por vezes dolorosa que Deus já lhe deu.

Todos nós conhecemos alguém que não encosta o carro para pedir informações. Eu era uma dessas pessoas, e acho que agora sei por quê. A maioria de nós não quer que digam o que devemos fazer, mesmo que isso nos ajude. O fato é que não precisamos de mais informações; precisamos de mais exemplos. Fique perto das poucas pessoas que entendem como resistir às distrações e direcionam energia a seus propósitos mais duradouros, e você acabará absorvendo parte dessa objetividade. Imagine o que poderia acontecer se você focasse sua atenção no que realmente importa, em vez de em todas as coisas que não importam. Que exemplo maravilhoso de amor, propósito e alegria você seria para um sem-número de pessoas. Tanto vidas simples quanto grandes lendas se constituem dessas coisas.

Sejamos honestos um com o outro. Há muitas segundas opções disponíveis para todos nós. Se não estivermos cientes das alternativas, não perceberemos que, dentre todas as opções disponíveis, estamos nos contentando com as inferiores. Este livro não lhe dirá o que pensar ou o que fazer, mas espero que ele o lembre de quem você já é. Você é alguém com permissão para viver com uma quantia exagerada, impensável, totalmente absurda de foco, propósito, alegria e plenitude.

Aqui estão algumas perguntas que tenho para lhe fazer ao darmos início a essa jornada. Você está disposto a fazer o que for preciso para revelar as maravilhas que já cercam sua vida? Fará o trabalho corajoso de identificar o que o está distraindo de coisas melhores? E, por fim, está disposto a fazer o trabalho árduo e altruísta de compartilhar com outros a beleza que descobrir, em vez de guardá-la para si?

Fazer isso exige que coloquemos antolhos, como em uma corrida de cavalos no Kentucky Derby, ou um funil no pescoço de um cachorro após ir ao veterinário. Precisamos bloquear nossa visão das coisas que importam muito pouco, parar de recorrer a padrões que não servem a nossos objetivos maiores, começar a reconhecer o que é temporário e transitório e, em vez disso, focar intensamente as coisas que durarão para sempre: nossa fé, nossa família e nossos propósitos. Quando direcionar a atenção para essas coisas, você encontrará a felicidade.

Se você já leu outros livros meus, sabe que venho focando minha Amada Maria desde o momento em que a vi. Ela me cativou por décadas, e ainda faz isso. É fácil não me distrair quando ela está por perto. Entre minhas inúmeras peculiaridades, uma delas é cantar para ela toda manhã. Não lhe contarei qual é meu repertório, mas afirmo que canto *muito mal*. Pavoroso, simples assim. Pense em unhas riscando uma lousa, mas mais patético, com mais aceno de braços e um barítono mais profundo. É como uma música ruim da Disney no tom de um cão uivando para a lua.

Quando canto para a minha Amada Maria toda manhã, ela costuma grunhir e cobrir a cabeça com um travesseiro. Eu disse a ela que isso faz parte do pacote platina que ela adquiriu quando me disse sim. Ela já me pediu algumas vezes para assinar um pacote alumínio ou papelão. Você sabe, os que não incluem uma serenata antes do amanhecer. Disse a ela que estão todos esgotados. Sei que, lá no fundo, ela adora isso. Continuo cantando minhas músicas horríveis porque elas me lembram de quem eu sou e a quem amo. A primeira coisa que as músicas me lembram a cada dia é do centro de minha vida — nossa família —, que, para mim, é mais importante que tudo, exceto minha fé. Mais importante que o lembrete, essas músicas são declarações do que farei com minhas prioridades. Ao uivar novos versos que componho a cada manhã, informo a minha Amada Maria, a mim mesmo e ao mundo qual é meu plano para o dia, e então procuro vivê-lo da melhor maneira possível.

Espero que este livro o ajude a encontrar sua música ou a cantá-la um pouquinho mais alto, caso já a conheça. Quero que as palavras nestas páginas liberem versos para você que sejam repletos de amor, intenção, esperança, propósito e Jesus. Talvez seja hora de você cantarolar um pouco a cada manhã sobre a bela vida que recebeu, o curto período de tempo que tem para vivê-la e as pessoas que poderia impactar se deixasse seu amor e sua criatividade correrem soltos, em vez de amarrá-los ao passado.

Este livro não está cheio de fábulas. Pelo contrário, tem histórias para todos os lados. Por quê? Simples. Porque Jesus contou histórias. Na verdade, as Escrituras dizem que Ele nunca falou com ninguém sem contar boas histórias para ilustrar as verdades que desejava transmitir. As histórias não apenas nos dizem a verdade, mas também podem nos direcionar rumo a uma vida mais verdadeira. Coisas falsas são feitas para nos distrair com mentiras; a verdade, por outro lado, nos informa e guia por um caminho mais corajoso e duradouro.

Este livro também não contém um monte de fatos aleatórios. Nunca vi um punhado de fatos aleatórios e sem conexão se combinando para formar alguma coisa que mudou minha vida. No entanto, parece que o mundo de hoje está abarrotado de informações. Estamos afundando em informações. Em média, o conhecimento humano dobra a cada treze meses, mas esse dilúvio de informações não oferece mais clareza sobre nossa vida. Pelo contrário, às vezes parece que os fatos se tornam uma tela de fumaça pairando entre nós e a clareza da qual realmente precisamos. Você já notou que, mesmo quando os fatos parecem indiscutíveis, as pessoas ainda arrumam um jeito de passar um bom tempo discutindo sobre eles? Culturalmente, acho que todos nós sentimos que estamos meio tensos e mal-humorados neste exato instante.

Você está disposto a aceitar por um momento que todo esse ruído é uma distração? Não estou sugerindo que optemos por viver na ignorância. Longe disso. Fatos podem ser úteis, mas raramente são *nobres*. Não precisamos de mais fatos para descobrir o propósito, a bondade e o altruísmo que almejamos; precisamos de uma fé firmemente embasada, de alguns bons amigos e de alguns lembretes confiáveis. Espero que essas histórias ajudem você a descobrir no que acredita e por quê. Quero que este livro o empurre na direção de quem você está se tornando, e não que o deixe enrolado no eixo daquilo que você foi. Isso porque, quando você e eu estivermos hiperfocados e com as ideias claras, prometo que encontraremos nosso propósito. Encontre seu propósito e será mais feliz. A matemática é simples.

Lembre-se: o prazer da escuridão é ampliar a distração. Talvez isso esteja acontecendo em sua vida neste exato instante e você sequer se dá conta. A distração é muito sorrateira. Consertar tudo isso é, ao mesmo tempo, simples e difícil. A maneira de vencer as distrações é se cativar por algo muito maior e muito melhor, como o propósito e a alegria.

É esse nosso objetivo nas páginas deste livro, e quero que sigamos por esse caminho pelo resto de nossa vida. Se você estiver disposto a fazer o trabalho pesado necessário, prometo que o resultado será algo muito melhor do que aquilo com o que vem se contentando até agora. Você substituirá a distração que rouba sua alegria pelo tipo de propósito que nada pode levar embora.

Olhe para a frente. Prepare-se. Aqui vamos nós.

# CAPÍTULO 2

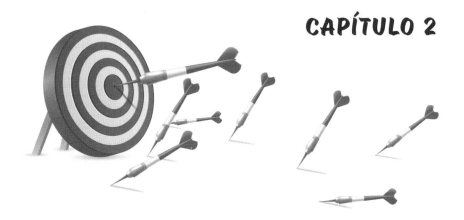

## A FECHADURA DA ETERNIDADE

*Cuide do coração e expanda a mente, e então sua vida plena se tornará seu legado.*

Eu estava sentado na mesa de exames do médico... de novo. Fui um cara bem saudável a vida toda. Logo logo Rick entraria para ver o que estava acontecendo com minha frequência cardíaca. Ele já vinha trabalhando como médico de nossa família havia décadas, e eu literalmente já havia confiado minha vida em suas mãos em mais de uma ocasião. Ele já suturou cortes profundos e reimplantou um dedo parcialmente decepado de um de meus filhos. Ele ficou ao meu lado alguns anos atrás, quando descobri que havia contraído uma forma agressiva de malária ao viajar pela África. Naquela ocasião, apostamos que eu estaria olhando para a Terra lá do céu até o fim da semana, mas Rick também me ajudou nessa.

Ele entrou, e trocamos as gentilezas costumeiras entre paciente e médico, compartilhando histórias como amigos. Então Rick colocou o estetoscópio no meu peito. Acho que ele tinha acabado de tirá-lo do freezer ou algo do tipo. Respirei afobado quando ele se inclinou e ouviu as batidas do meu coração. Ele fez perguntas sobre alguns dos sintomas que eu andava sentindo, como tontura logo ao levantar e respiração curta ao subir escadas. Bem, devo confessar que não sou um modelo de pessoa saudável, mas eu não achava que esses sintomas eram normais para minha forma física.

Em geral, Rick mantinha uma expressão neutra, mas não dessa vez. Observei enquanto ele franzia o cenho e focava cada vez mais a atenção em meu ritmo cardíaco. Sua preocupação foi inconfundível. Às pressas, ele trouxe um monte de equipamentos para a sala, pôs adesivos e cabos no meu peito e começou a registrar as leituras. A fita que saiu da máquina continha linhas como as de um sismógrafo. Se fosse um detector de mentiras disfarçado, ele tinha fios suficientes ligados a mim para me pegar no pulo.

Depois que Rick encerrou sua bateria de exames, ele me olhou direto nos olhos e disse que meu coração não estava batendo da maneira que deveria. Expôs algumas das causas prováveis e, no topo da lista, estava aquele caso grave de malária. Não entrarei em detalhes porque não entendi totalmente o que Rick disse, mas eu sabia que as notícias não eram boas. Resumindo, meu coração batia mais rápido quando eu estava sentado que o de algumas pessoas correndo uma maratona. Também não batia de forma consistente.

Pense desta maneira: em repouso, seu coração provavelmente bate de sessenta a cem vezes por minuto, se seu condicionamento físico for mediano. Ele talvez seja um pouco mais lento se você for trincado e um pouco mais rápido se não for. Em vez do previsível *tum, tum, tum,* Rick registrou batidas cardíacas rápidas e esporádicas. Meu coração batia 220 vezes por minuto. Não era preciso um diploma em medicina para entender o que podia dar errado. Essa condição tem um nome pomposo e longo, mas, basicamente, parecia que eu não bateria nenhum recorde como "Atual Pessoa Mais Velha do Mundo".

Mas tentarei mesmo assim. Verdade seja dita, eu gosto da marca de 150 anos, que é a idade que atualmente desejo atingir. Se eu ficar meio baixinho, dê um jeito de me enterrar na Ilha de Tom Sawyer na Disneylândia, certo? Mesmo que você precise me passar pelo portão dentro de um pote. Tenho um ingresso para a temporada, então eles não se importarão.

Ao longo de vários dias seguintes, Rick marcou consultas para mim com alguns cardiologistas bem inteligentes para confirmar suas descobertas e destrinchar os problemas principais. Após mais estetoscópios gelados, cabos, bipes e cenhos franzidos, os especialistas disseram que a única maneira de fazer meu coração voltar a bater normalmente era pará-lo momentaneamente e reiniciá-lo com um imenso choque elétrico. É isso mesmo que você leu. Eles teriam que parar *meu coração surtado* para ajudá-lo a encontrar um novo ritmo.

Fica a pergunta: você faria isso? Estaria disposto a morrer para ter uma vida mais duradoura? Arriscaria tudo pela chance de viver a vida com mais plenitude? Esse é o tipo de reinício que Jesus disse que aqueles que O seguissem teriam. Ele disse a Seus amigos que seria como morrer e começar tudo de novo. Ele disse que seria necessário algo tão drástico, invasivo e completo quanto uma reforma para que Lhe pertencêssemos totalmente — sem sermos distraídos por mais nada.

Todos nós podemos ser novas criações se quisermos. A dura verdade é que a maioria das pessoas não quer. Acomodamo--nos na vida segura e distraída que conhecemos, e não naquela que o único Deus prometeu que está disponível para nós. Claro, podemos concordar que Jesus quer que sejamos novas criações. Porém, se continuarmos fazendo o de sempre, teremos de admitir que não há nada novo nisso. Um reinício total não é fácil e envolve riscos. Talvez uma tragédia ou perda colossal nos faça reiniciar. Ou o reinício pode ser o resultado de reservar um tempo para limpar a mente de manhã. Encontre um novo ritmo para seu coração. A minha sugestão simples é a seguinte: decida com antecedência fazer o que for preciso para corrigir seu coração, e então faça isso — ainda que isso mate todas as suas versões anteriores.

Você precisa se perguntar o que faz seu coração bater de formas que o tornem mais forte, mais corajoso, mais altruísta e mais amoroso. Descubra o que faz seu coração pular de alegria e o que o faz perder uma batida devido a disfunções e distrações. Esteja disposto a mudar tudo isso, se necessário. Nosso coração bate de formas ligeiramente diferentes, e fico feliz por isso. Alguns batem depressa, outros, devagar. Coisas que instantaneamente lhe arrepiam os cabelos podem ser um tédio para outras pessoas. O que o deixa totalmente entediado poderia animar por inteiro outra pessoa. O que o faz chorar talvez não chame a atenção de outro. Algo que para você não é grande coisa poderia atingir o outro até os ossos. Sejam pacientes uns com os outros quando isso acontecer. Todos temos problemas cardíacos; eles apenas se revelam de maneiras distintas. Alguém que não me conhece pode presumir coisas sobre meu coração sem saber como ele realmente está. No fim, estamos todos olhando para a eternidade através de um buraco de fechadura enquanto tentamos entender nossa vida hoje. Não se distraia pelo fato de ser diferente de todas as outras pessoas. Nossos corações foram feitos para baterem *juntos*, não *do mesmo jeito*.

Se você quer ofuscar os céus, pare de se distrair sendo outra pessoa. Seja você mesmo. Faça qualquer coisa a menos, e o dom único que Deus colocou em você nunca será 100% revelado. Jesus disse que uma relação rica com o Pai só é possível se tivermos uma relação rica uns com os outros. Trocando em miúdos, se dissermos que amamos Deus, mas não amamos as pessoas que Ele fez, mesmo as estranhas, inseguras e falíveis como você e eu, teremos um problema cardíaco que precisará ser tratado. Não continue ignorando-o, medicando-o ou sendo indiferente a ele. Se deseja encontrar uma fé mais rica do que a que você tem neste exato instante, o remédio não é mais conhecimento, argumentos ou distrações. Seja "um" com as pessoas ao seu redor. Não é preciso confrontá-las para fazer parte da vida delas. Da mesma forma, não vá atrás apenas das pessoas fáceis. Se quiser subir para o nível de pós-graduação nessa área, encontre as pessoas difíceis ao seu redor e seja "um" com elas também. Se sua reação foi dizer *eca!* para essa nova forma de fazer as coisas, eu me identifico totalmente com você, mas o que quero é um novo ritmo cardíaco, não aquele defeituoso que acabei tendo. Ir a um lugar melhor exige um recomeço.

Os amigos de Jesus estavam distraídos discutindo quem se sentaria nas posições mais importantes ao lado Dele no céu. Jesus interrompeu essa briga tola ensinando-lhes algo que refletia clareza eterna. Ele disse que, a menos que eles mudassem e fossem como crianças, nunca entrariam no reino de Deus. Fui levado a pensar que, quando fazíamos uma oração, a combinação certa de palavras secretas de alguma forma abriria os portões do céu, mas evidentemente há mais envolvido. Jesus disse que o que faria o truque seria a fé de criança — não uma fé infantil.

**COMPARECI AO HOSPITAL PARA REINICIAR MEU CORA-** ção. Eles me deram aquela terrível camisola azul de hospital e me levaram para um quarto, a fim de me prepararem para o procedimento. (Aliás, alguém pode me explicar por que toda a sua parte de trás fica exposta para esse tipo de coisa, sendo que todo o procedimento é feito na parte da frente?) Havia uma corrente de ar, e eu estava tentando usar uma estratégia para evitar mostrar o traseiro para todo mundo que passasse. Foi aí que entrou um cara de jaleco branco, afirmando ser a pessoa que pararia e reiniciaria meu coração. Essa foi toda a informação que recebi. Pense nisso por um segundo. Pelo que eu sabia, o cara poderia ser um pintor da Sherwin-Williams que encontrou um estetoscópio no chão e o enrolou no pescoço. Ainda assim, confiei nele para parar e reiniciar meu coração. Tudo isso leva à pergunta: de quanto mais informação você precisa antes de confiar em Deus para consertar seu coração?

O médico e sua equipe me fizeram subir na maca e me deitaram de costas. Eles me conectaram a todo tipo de monitor para garantir que não me matariam muito — só um pouquinho — quando parassem e, em seguida, reiniciassem meu coração. Quando o Dr. Sherwin-Williams (eu sei como ele se chama, e ele é um cara incrível) começou a checar os eletrodos, devo lhe dizer que eu era um misto de pavor absoluto e empolgação vertiginosa. Primeiro, eu nunca tinha feito nada parecido, e sou viciado em novas experiências. Segundo, cheguei à conclusão de que essa seria uma bela história se eu vivesse para contá-la. Terceiro, se aquilo realmente funcionasse, seria como ganhar um coração novo, mas sem todo aquele sangue, bisturis e cirurgias para um transplante. Claro, como em boa parte da vida, havia certo risco envolvido — mas as vantagens de um reinício me pareciam um acordo muito bom.

Os assistentes do médico me apagaram com algum tipo de medicamento intravenoso, e, em seguida, mergulhei em um borrão e, depois, no nada. Antes de apagar, imaginei o homem de jaleco branco esfregando alguns eletrodos, ligando o desfibrilador e, com a cara do Doc Brown de *De Volta para o Futuro*, com um olhar alucinado enquanto a máquina emitia um ruído constante e agudo. Aliás, aí vai uma pequena dica se algum dia você precisar fazer isso. Antes de lhe darem choques, eles pedem que você tire seus anéis ou quaisquer outras joias de metal, porque a voltagem é suficiente para queimar sua pele sob o metal. Outra dica: uma quantidade bizarra de pelos no meu tórax se queimou. Foi como uma depilação bem violenta.

E, então, eu acordei! Eu me sentia como Scrooge* na manhã de Natal — um homem que ganhou uma segunda chance. Esperava ver alguns dos Muppets cantando para mim quando eu abrisse os olhos. Em vez disso, vi a equipe médica se debruçando sobre mim, checando todos os monitores para ver se eu estava estável. Quando ficou claro que eu estava em segurança, o médico olhou para mim com um sorrisinho e disse: "Aqui não é o outro lado da vida; funcionou." Fiquei contente em ouvir isso, porque teria me decepcionado se descobrisse que o céu parece um quarto de hospital com contas para pagar e um seguro-saúde. Eu também tinha apostado com força que minhas roupas celestiais eternas teriam cobertura no traseiro. De uma hora para outra, passei a ter a frequência cardíaca de um estudante de 13 anos. E ainda tenho.

Em média, durante a vida, nosso coração bate cerca de 2,5 bilhões de vezes. É preciso um músculo bem forte para bater tantas vezes para enviar sangue e oxigênio dos dedos de seus pés às suas orelhas. Se você já apertou uma bola de tênis, esse é o esforço que uma só bombeada faz para nos dar vida. O que estou dizendo é: não é fácil ser seu coração, então cuide dele, certo? Faça isso com sua fé e também com seus relacionamentos. Cuide deles. Fique atento ao estresse a que você se submete e, pelo amor de tudo o que é mais sagrado, cuide de seu maravilhoso e insubstituível corpo. Queremos você aqui por algum tempo.

Meu coração tem um novo ritmo agora. Suas batidas são lentas e fortes. E o seu? Seu coração acelera enquanto você luta por coisas que não durarão? Está constantemente distraído por coisas sem importância? Vive com medo? Após o procedimento, o médico disse que a melhor coisa que eu poderia fazer por meu coração é não estressá-lo. Esse talvez seja um bom conselho

---

\* Ebenezer Scrooge, famoso personagem avarento da história "Um Conto de Natal", de Charles Dickens. No conto, Scrooge é retratado como uma pessoa fria e gananciosa, até mudar de atitude após a visita de três fantasmas: o Natal passado, o Natal presente e o Natal futuro. (N. do T.)

para você também. Nosso coração é diferente de pessoa para pessoa, mas eles podem bater juntos mesmo que batam de um jeito diferente. Faça o que for preciso para chegar lá, mesmo que isso envolva levar um choque.

**NOS ÚLTIMOS ANOS, VENHO ME DIZENDO QUE QUERO** ser o cara que está disponível. É por isso que coloco meu número de celular na contracapa de mais de 1 milhão de meus livros. À primeira vista, essa poderia parecer uma ação que acabaria com qualquer tipo de produtividade na minha vida. Suponho que isso seja verdade, se você está apenas tentando viver uma vida eficiente e produtiva. Mas eu não estou, e aí vai o porquê: seremos conhecidos por nossas opiniões, mas lembrados pelo amor que demos às pessoas à nossa volta. Se eu me concentrar em um projeto e não estiver disposto a mudar de foco, perderei uma boa chance de demonstrar amor e gentileza à pessoa ao meu lado — e essa não é a vida que quero viver. Receber uma quantidade de telefonemas realmente absurda a cada dia é um lembrete e tanto de quem desejo ser. Eles não são interrupções, são lembretes. O que você está fazendo para lembrar a si mesmo de quem deseja ser?

Essa disponibilidade teve uma nova guinada divertida nos últimos anos. Comecei a orientar pessoas incríveis, a fim de ajudá-las a cumprir as coisas grandes que querem realizar para si mesmas, seus familiares, suas carreiras e sua fé. Recebo ligações durante toda a semana desses novos amigos. Claro, marcar essas reuniões todos os dias faz com que minha agenda fique bem cheia, mas também ajuda a realizar meu sonho de estar extremamente disponível. Essa é minha hora; é meu único solo de sucesso; é a imagem de minha vida e, provavelmente, também estará na minha lápide. "Aqui jaz Bob Goff; estava sempre disponível (mas não está mais)." O que você quer que esteja escrito na sua lápide? "Aqui jaz [insira seu nome], que viveu uma vida de distrações"? Se isso tem um fundo de verdade para você, a boa notícia é que é possível mudar de epitáfio.

Uma das coisas mais importantes que faço depois dessas ligações de orientação é anotar a conversa. Ao fim de cada ligação, passo bons cinco minutos refletindo sobre o que conversamos e preenchendo as lacunas que eu não havia notado. Por quê? Porque, se eu não fizer isso, é quase certeza que uma distração destrua possíveis ganhos meus. A maneira como processamos nossas conversas pode se tornar janelas para propósitos próprios importantes. Fazer anotações é uma excelente forma de evitar distrações, não somente porque elas nos ajudam a lembrar coisas que se alinham conosco, mas também porque nos auxiliam a apurar nossas opiniões.

Faça anotações ao ler este livro ou qualquer outro. Escreva como você aplicará as partes que fazem sentido para você. Se você não enredar imediatamente essas borboletas, eu lhe garanto que elas voarão. Faça isso, depois estude e refine essas anotações, e encontrará conexões entre as ideias que escreveu no meio da conversa e as que teve em outras conversas. Você identificará ideias significativas, parcialmente elaboradas e aplicáveis que pode incorporar em sua vida. Conforme você faz uso das ideias que escreveu, elas criarão um ciclo de feedback, ao passo que se tornam ideias mais completas e integrais. Se você não reservar um tempo para captar e processar seu mundo interno, perderá a oportunidade de descobrir algo maior e mais belo em seu coração.

Muitas das pessoas que trouxeram ao mundo uma quantidade considerável de conhecimento e beleza faziam anotações. Marco Aurélio, Beethoven, Lewis e Clark, Mark Twain... Cite uma pessoa que se destacou na história, na arte, na literatura ou na cultura geral, e aposto que acabou de identificar uma pessoa que fazia anotações. Benjamin Franklin não era um sujeito particularmente virtuoso, mas elaborou uma lista de treze virtudes, incluindo anotações sobre como ele as aplicou na prática todos os dias. Talvez você não queira atribuir pontos a seu caráter, mas estou certo de que terá vantagens se mantiver um registro deles.

George Lucas, o famoso diretor, escreveu o roteiro de *Star Wars* e também foi responsável pela trilha sonora de *Loucuras de Verão*. Naquela época, nessa indústria, a maneira de localizar uma cena era consultar o rolo de filme em que ela estava e o número do diálogo dentro daquele rolo de filme. Alguém perguntou a George Lucas sobre uma cena em *Loucuras de Verão* que estava no rolo dois, diálogo dois. George escreveu "R2D2" em suas anotações. Não estou brincando. Ele estava quebrando a cabeça para conceber um droide adorável, pegou o que teria sido uma nota completamente sem relação e... o resto é história. Para ele, o ato de fazer anotações se tornou uma forma de usar e aperfeiçoar a criatividade. Ela pode fazer o mesmo por você.

Paulo escreveu uma carta a seus amigos de um local chamado Corinto, e disse que, para ele, suas vidas eram como cartas de Deus para o mundo. Ele disse que elas não eram um monte de palavras entalhadas na pedra, mas que estavam escritas no coração das pessoas e no dele.[1] Se puser mãos à obra, anotando ideias, verdades e pensamentos que sejam importantes para você, estará em condições de afetar as pessoas de maneiras mais profundas e inexplicáveis que sequer teria imaginado. Se imaginar sua vida como um livro a ser escrito, comece a fazer anotações melhores. Ela se tornará uma obra-prima uma frase de cada vez.

Sócrates disse que uma vida sem análise não vale a pena ser vivida. Não concordo que tal vida não valha a pena, mas admito que tendemos a nos esquecer da autorreflexão. Se tem filhos pequenos ou um emprego estressante, você sabe como ninguém como a vida pode ser difícil. Em certos dias, você cai na cama exausto, só para se levantar e fazer o mesmo de novo... de novo... e de novo. Continue a viver assim e um dia acordará se perguntando aonde foram parar todos os anos. Não seja sugado na armadilha. Anote todas as lições que você aprende a cada dia. Uma vida sem reflexão é como o vapor.

Tiago, irmão de Jesus, afirmou em uma de suas cartas que nenhum de nós sabe o que acontecerá amanhã. Ele disse que nossa vida é como uma névoa que aparece por pouco tempo e depois se dissipa.[2] Já vi isso acontecer, e você também. Meu horário favorito para escrever e refletir é de manhã cedo. Há orvalho na grama, e, no ar, muitas vezes há um pouco da neblina que se juntou de madrugada. Então, toda manhã, o orvalho se dissipa, a neblina se ergue e o dia começa. Fazer boas anotações é um truque para evitar que suas experiências e possíveis epifanias evaporem diante de seus próprios olhos. O truque é anotar o que você aprendeu com a aventura, para que isso não se perca depois.

Existem 2.500 criaturas na terra conhecidas como "insetos de um dia". Em comparação, um dos animais de vida mais longa é um tipo de esponja abissal que pode viver mais de 1.100 anos. Se vivêssemos tanto assim, provavelmente acabaríamos parecendo com um bando de esponjas também. A maioria das pessoas vive como insetos de um dia, mas precisamos ser mais esponjosos fazendo coisas que durarão mais. No entanto, eu diria para não desprezar os insetos de um dia. É bom pegar emprestado um pouco do ponto de vista deles, porque, como disse Tiago, não sabemos o que o amanhã trará.

Há, inclusive, uma espécie de água-viva que, tecnicamente, não morre. Saca só: assim que essa água-viva fica bem velha, ela volta a ser uma água-viva jovem para poder crescer de novo. Quero ser esse tipo de pessoa, mas me atendo à sabedoria que reuni ao passo que volto a ter a fé de uma criança. Tipo Benjamin Button, exceto que não quero começar velho demais e ficar jovem; quero começar bem jovem e me tornar sábio. Quero aliar a sabedoria que ganho com o tempo a uma maior acumulação de fé semelhante à de uma criança. E você? Se está de acordo com essa abordagem de vida, o que poderia fazer para encontrar o caminho de volta para uma versão mais inocente, engajada e menos distraída de si mesmo?

Aqui está uma verdade certeira, não importa quanto você viva: a clareza de propósitos, a energia sem distrações, o amor desprendido e os propósitos altruístas que você traz ao mundo serão seu legado. Em comparação, todas as outras coisas parecerão distrações.

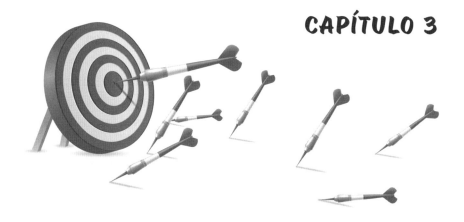

# CAPÍTULO 3

## LIBERTANDO-SE AO VOLTAR PARA CASA

*A cura para a insegurança é estar completamente presente na expressão de seu propósito.*

Venho tentando ir a prisões com mais frequência — não como detento, mas como amigo. Isso não foi ideia minha; é uma coisa que Jesus disse que deveríamos fazer. Para quem vê de fora, nenhuma cadeia é convidativa. Sempre que passo por um presídio, fico intimidado pelo arame farpado no alto, pelo arame laminado e pelas construções sem janelas. Algumas cadeias têm até torres de vigilância e homens portando artilharia da pesada enquanto monitoram a área. Ir a lugares projetados para prender pessoas não parece natural, mas foi exatamente esse o motivo que me impeliu a começar a ir. Acredito que Deus nos pede para dar nossa presença, benevolência e compaixão aos detentos porque Ele quer que nos lembremos com exatidão de como nos viu pelo lado de fora, sem a liberdade que Jesus prometeu.

O presídio que visito com mais frequência se chama San Quentin. Esse é realmente um lugar infame, embora eu não saiba ao certo por que um local de punição devesse ser famoso. Ele foi inaugurado há mais de 160 anos e abrigou prisioneiros famosos, incluindo Charles Manson. Os prisioneiros o chamaram de "Arena" durante quase 100 anos. Ele abriga todos os detentos da Califórnia no corredor da morte, e, em 1938, foi instalada uma câmara de gás, que permaneceu em uso até 1996. Não há dúvida alguma: esse é um lugar violento, mas também fiz amizade com os detentos e com os corajosos funcionários que me ensinaram muita coisa e me tornaram uma pessoa melhor.

Por algum tempo, dei aulas lá para grupos de 150 homens. Eles provêm de todos os cenários. Alguns eram empresários brilhantes que cometeram grandes erros. Outros mataram alguém, e alguns não pagaram impostos. Eles tinham uma coisa em comum: todos estavam atrás de muros altos e vigiados, e ficariam ali por um bom tempo. Um dia, recebi uma ligação telefônica de um dos rapazes da minha turma, Kevin.

"Bob, estou do outro lado do muro", disse ele.

*Amigo, não me diga que você amarrou um monte de lençóis e os pendurou na janela*, pensei.

"Eu saí. Eles me soltaram, simples assim!", explicou ele pelo telefone que tinha pego emprestado, bem animado.

Pensando que seria um desses momentos Leonardo DiCaprio e antecipando uma resposta que mudaria minha vida, perguntei: "Amigo, qual foi a primeira coisa em que você pensou quando saiu?"

Kevin fez uma pausa e, depois, respondeu: "Percebi... que tenho bolsos!"

Espere, como é que é? Isso não passou nem perto da resposta grandiosa, profunda e teológica que eu esperava dele. Porém, quanto mais pensava nisso, mais percebia que o que ele havia dito era grandioso, profundo e teológico.

"Tome muito cuidado com o que coloca neles, Kevin", aconselhei num momento de clareza.

Todos nós temos bolsos. O que colocamos ou guardamos neles podem se tornar distrações. Arrependimentos, ressentimento, mágoas e mal-entendidos são coisas que podem se transformar em imensas distrações.

Eu estava caminhando no pátio da prisão com alguns dos rapazes da classe. Havia homens levantando pesos do tamanho de um Prius com o mesmo esforço que faço para mover um grampeador. Brinquei com o cara do meu lado que, se eu tivesse uma barra com pesos, podia imaginar a barra sozinha esmagando meu tórax até alguns homens virem levantá-la.

Mais tarde, na aula, estávamos sentados em círculo. Contei aos rapazes sobre minha conversa no pátio e perguntei se havia alguma coisa que eles precisavam tirar do próprio peito. Percorremos o círculo, e o rapaz sentado à minha esquerda falou sobre as dificuldades que vinha tendo com seu companheiro de cela, o que não era surpresa, considerando o tamanho da cela deles — 1,5 metro de largura por 3 metros de comprimento comportando dois caras de 115 quilos ou mais cada. O rapaz perto dele nos contou que se sentia afastado da família, da qual se separara havia mais de uma década. Sua esposa estava planejando seguir em frente, e ele estava muito triste. Só consigo imaginar como essa situação era difícil e desesperadora para ambos.

Fomos percorrendo o círculo, até que chegou a vez do cara sentado à minha direita. Ele ficou um bom tempo olhando para o chão, depois ergueu a cabeça e olhou nos olhos de cada um dos rapazes. "Estou aqui há dezoito anos e venho dizendo a todo mundo que não fiz nada." Ele fez uma pausa, respirou fundo e disse: "Eu fiz." No círculo, ele não viu julgamentos; viu aceitação. Naquele momento, ele havia se tornado o cara mais livre que já conheci. Isso é o que a honestidade e a vulnerabilidade farão todos os dias se permitirmos.

A vergonha nos mantém atrás dos muros que construímos para afastar os demais. O mesmo se aplica à inveja, à amargura e às pessoas que julgam. A maioria dos prisioneiros do orgulho acham que são os guardas. O que precisamos é do tipo de fuga da prisão que uma comunidade acolhedora pode oferecer. Encontre uma e vivencie o tipo de liberdade e foco que não achava serem possíveis para você.

**UM POUCO MAIS PERTO DE CASA, EM SAN DIEGO, EU** estava visitando um jovem de 20 e poucos anos em nossa cadeia local. Ele havia feito algumas besteiras que lhe custaram a liberdade. Ele estava assustado, sozinho e precisava de companhia. Eu era um amigo da família e achei que ele gostaria de passar um tempo comigo. Eu já tinha feito visitas como essa antes e sabia que nos encontraríamos em uma sala muito parecida com uma cela de prisão, projetada para advogados e clientes se encontrarem e discutirem seus casos. Para mim, era apenas um local em que eu poderia me encontrar com um garoto assustado. Essa sala é envolvida por uma camada mais grossa de concreto, com vidros à prova de bala, uma porta pesada e várias travas eletrônicas.

Os guardas nos trancaram lá. Ironicamente, visitantes de prisioneiros também se tornam prisioneiros. A sensação de peso e depressão está sempre presente nessas salas, como se fossem projetadas para eliminar qualquer sentimento de acolhida, esperança ou humanidade. O espaço todo grita "Nem pense nisto".

Meu jovem amigo foi escoltado para a sala. Tiraram suas algemas, e trocamos algumas palavras enquanto nos acomodávamos nas cadeiras. Tentei ao máximo exibir sinais de acolhimento, empatia e aceitação enquanto ele contava sua história. Então, algo aconteceu — como naquele momento de um filme em que tudo dá terrivelmente errado. A cadeia inteira ficou sem eletricidade. Inteirinha. As luzes acima de nós na sala piscaram e lâmpadas de emergência se acenderam. A sala ficou totalmente trancada por conta da falta de energia, e nem mesmo os guardas conseguiam entrar. Se as paredes não fossem tão grossas, provavelmente eu teria ouvido o gerador ligando para garantir que todo o complexo não se transformasse em um caos total. E se houvesse gente no pátio farejando alguma oportunidade para fugir? E se houvesse um grupo no refeitório e uma briga daquelas começasse? Já mencionei que essa cadeia abrigava vários detentos? Quando algo assim acontece, as coisas se complicam bem rápido.

Durante as quatro horas seguintes, fiquei preso naquela sala com o jovem. Tentei fazer uma ligação, mas não havia serviço para celular. Pelo mesmo motivo, eu não podia receber ligações. Eu realmente queria sair. Se tivesse um martelo de pedra, teria cavado um buraco e engatinhado por um cano de esgoto para isso.

Nada de mais aconteceu, apesar do cenário hollywoodiano. Após quatro horas, meu novo amigo ainda estava assustado e precisando de um amigo. Eu precisava de uma cueca nova, mas, por fim, superei a experiência. Ocorreu-me que uma sala projetada para segurança máxima havia se tornado um local totalmente inseguro, e isso me fez pensar sobre o papel que a insegurança havia tido em minha vida e na vida de meus amigos. Gastamos tanta energia tentando nos sentir seguros e escondendo qualquer sensação de medo! Construímos muros e instalamos vidros à prova de balas para que nada possa nos ferir. Infelizmente, podemos passar a vida inteira construindo uma fachada de segurança e proteção quando, por dentro, não passamos de pessoas assustadas precisando de um amigo.

Você precisa de coragem para admitir que, até agora, vem fingindo ser algo que não é? Você é um prisioneiro que precisa de espaço para cair na real? Tem sido distraído por sua necessidade de nunca parecer fraco ou vulnerável? Passa uma quantia absurda de tempo tentando controlar as pessoas ao seu redor porque sua vida interior está fora de controle? Quanta energia isso está tirando de você — energia que você poderia dedicar a algo maior e mais bonito que suas inseguranças?

Em certo nível, todos temos inseguranças internas. O que encobre isso é que cada um de nós lida de forma diferente com as próprias inseguranças e, consequentemente, apenas alguns de nós parecem inseguros por fora. Certas pessoas conseguem falar em público, outras não. Tem gente que tem medo de aranhas, mas há quem colecione tarântulas. Algumas pessoas ficam quietas como um rato de igreja quando inseguras, outras se tornam perigosas como cascavéis. Se quiser impressionar a Deus, não ignore, passe por cima ou negue suas inseguranças, e não despreze comportamentos estranhos alheios quando suspiros de insegurança começarem a vir à tona. Em vez disso, entenda e aceite essas coisas. Não deixe que elas o aprisionem. Descubra de onde elas vêm e as envie de volta para lá. Domine essas sensações quando elas bloquearem seu caminho e opte por viver sem ser distraído por elas. Não somos a média das cinco pessoas mais inseguras do mundo que têm opiniões sobre nós; somos o produto das pessoas mais focadas e sem distrações que imitamos de forma bem-sucedida.

Nada disso é fácil, porque todos nós temos uma vida inacreditavelmente conflituosa. Isso simplesmente vem junto com o pacote ser humano. Paulo, autor de muitas cartas da Bíblia, disse que ficava frustrado por continuar fazendo as coisas que não queria fazer e não fazia aquilo que queria fazer[1]. Sei como é isso e aposto que você também sabe. O motivo é simples. A vida é um eterno puxa-e-empurra. Trocando em miúdos, somos empurrados por nossas inseguranças e puxados por qualquer coisa que achamos que nos ajudará a não observar o quanto na verdade somos inseguros. Somos criaturas volúveis, e às vezes é difícil saber se estamos indo ou vindo.

Então, como relacionamos quem somos com quem desejamos ser quando todas as forças estão nos puxando para direções distintas? Não somos diferentes de Peter Pan, que se separou da própria sombra. Você se lembra da cena. Peter está rodopiando pelo quarto atrás de sua sombra, que se soltou dele. É assim que a maioria de nós vive — soltos, distraídos e frenéticos, mas tentando parecer que não estamos. Depois que Peter corre atrás da sombra pelo quarto enquanto ela rodopia pelas paredes e pelo teto, ele, por fim, consegue pegá-la. Peter não precisa de uma pilha de informações nesse momento; precisa de um amigo que o ajude a se reconectar com seu eu-sombra. Peter quer usar sabão para recolocar a sombra, mas felizmente Wendy saca uma agulha e linha para um conserto mais permanente. Pessoas que têm um propósito de vida são mais dispostas a juntar as coisas; são mais dispostas a admitir que estão desgarradas e têm mais boa vontade para envolver amigos de confiança em sua recuperação.

Volte ao seu próprio lar. Volte a se conectar com seu verdadeiro eu, que é o você que todo mundo vê e mais a sombra que eles não veem. Bata um papo consigo mesmo sobre o fato de tudo bem ser exatamente quem você é. As pessoas que mais aprecio não procuram minha validação; elas já chegaram lá por si mesmas, sabendo que não são perfeitas, mas que Deus as ama mesmo assim. Elas reconhecem que a vida está tentando colocá-las em uma cela de prisão com pistas falsas e expectativas irreais. É revigorante estar perto delas, e, se é esse tipo de pessoa que você está se tornando, estenda o tapete vermelho e convide-as para entrar em sua vida. Decida jogar fora a insegurança e substituí-la pelo selo de aprovação de Deus. Experimente. Não há sensação melhor que abandonar expectativas tóxicas e as distrações de amizades não saudáveis, colegas de trabalho, familiares e do mundo à sua volta quando você assume a alegria de simplesmente ser quem é.

SEM DISTRAÇÕES

**QUANDO ME TORNEI AVÔ, DECIDI FICAR BEM MAIS** perto de casa. Se você já leu algum outro livro meu, provavelmente sabe que quinta-feira é meu dia de folga. Alguns anos atrás, em uma quinta-feira no início de janeiro, cancelei 72 palestras em um só dia. Foi uma decisão dura, mas não queria perder momentos com meus netos. Minha vida toda vinha sendo reformulada para essa nova fase.

A maioria das pessoas recebeu bem e aceitou minha decisão, mas as de um evento no Arizona disseram que ficariam em maus lençóis se eu não comparecesse. Com muita educação, elas pediram que eu reconsiderasse. Não queria deixá-las na mão, então optei por ir. Um voo comercial lotado parecia um pouco arriscado naquele momento por conta do que estava acontecendo no mundo. Assim, já que tenho brevê de piloto, decidi alugar um avião particular barato e pilotá-lo. Na época, essa pareceu uma ótima solução.

O voo diurno de San Diego para o Arizona transcorreu sem problemas, e, após o término da reunião, era hora de voltar para casa. Era tarde da noite, e eu precisava atravessar o deserto e a cadeia de montanhas que separa San Diego de Phoenix. Decolei rumo ao céu noturno, com um deserto escuro abaixo e céu de ébano acima. Estaria voando totalmente às cegas se não fosse pelos instrumentos de voo em meu painel. Há uma beleza silenciosa nesses momentos, e adorei a viagem de volta.

Sobrevoar lugares inabitados como esses é um pouco mais complicado que sobrevoar uma cidade, porque não há luzes abaixo e nem no horizonte. É mais ou menos como estar dentro de um saco de lona ou em uma caverna subterrânea, onde não se pode ver a própria mão acenando à frente. Como resultado, é fácil se desorientar, e você precisa confiar nos instrumentos para não acabar voando em círculos ou, acidentalmente, descer e bater em alguma coisa. Foi por isso que fiquei bem ansioso quando dois instrumentos do avião alugado ficaram offline sobre o deserto. Em um instante eles estavam funcionando, e no outro simplesmente apagaram. Redobrei a atenção, como se estivesse acabado de tomar uma caixa de Red Bull.

Rapidamente, as coisas ficaram bem tensas. Olhe o que fiz: nivelei as asas e subi um pouco mais para me certificar de que voaria acima do topo das montanhas à frente. Fiz isso durante as horas seguintes, e, por fim, o brilho das luzes da cidade de San Diego se revelaram. Eu me recordei de como era boa a sensação de voltar para casa. O que quero dizer é: não deixe que a escuridão das circunstâncias ou as surpresas que você encontrar pelo caminho o distraiam de seu destino. Nivele as asas, suba um pouco mais, busque as luzes de casa e, então, vá até elas.

Sou otimista por natureza. Se eu ficasse sabendo que o céu está caindo, arrumaria uma rede para apanhar um pedaço. Nunca se sabe quando um céuzinho azul será útil, não é? Os cínicos da época bíblica não eram nem um pouco como os de hoje. Longe disso. Os cínicos de antigamente levavam uma vida simple e desprendida. Um de seus pioneiros, Diógenes, vivia em uma grande ânfora de cerâmica. Não muito diferente de seu primeiro apartamento, aposto. Ele passava os dias caminhando por Atenas, carregando uma lamparina. Ao ser questionado sobre por que agia assim em plena luz do dia, ele disse que estava buscando homens e mulheres que levavam uma vida virtuosa. Encontre essas pessoas hoje e cerque-se delas. Busque as virtudes, não as falhas, nas pessoas ao seu redor e encontrará um belo caminho adiante em sua vida.

Os cínicos atuais não agem assim. Parece que eles sempre se levantam com o pé esquerdo. São como atiradores de elite, mas estão longe de ser corajosos. Eles se elevam e, depois, camuflam suas posições. Escondem-se nos lugares altos que constroem e atiram naqueles que querem controlar. Se não concorda com eles ou não cede às suas ideias, você se tornará um alvo deles. Eu não gostaria de ter alguém cínico como copiloto durante meu voo noturno, e você também não deveria ter um em sua vida. Se você dá uma de cínico, por favor, pare, pelo seu próprio bem e pelo de outros. Sei que acha que está sendo útil, mas a dura verdade é que não está. Talvez não perceba, mas você é uma distração.

Não acho que isso seja exagero: o cinismo moderno provavelmente custou ao mundo corações, vidas, curas para doenças e trilhões de dólares. Também arruinou vários jantares de feriados. Não seja o cínico de seus círculos. Você servirá apenas para desanimar os outros e os distrairá com seu pessimismo. Reconheça que os cínicos tão somente guardam as próprias inseguranças na manga e, de forma inconsciente, baixam os padrões. Provavelmente, cínicos atuais diriam apenas que são realistas, mas nessa eu não caio.

Se você estiver recebendo uma carga de vibrações negativas, ainda há esperança. Sempre que um cínico lhe estender um convite sombrio para se juntar a ele em sua jornada, recuse imediatamente. Estão lhe oferecendo carona em um carro sem pneus que vem rodando sobre os aros há anos. É por isso que eles fazem tanto barulho e são cercados de fagulhas. Pegue o ônibus. Caminhe, se precisar. Só não pegue mais carona com gente cínica. É uma viagem só de ida para uma vida repleta de distrações.

Além disso, nunca conheci um cínico corajoso. Você já? De fato, já *conheci* vários distraídos que tentam convencer outras pessoas a se juntarem a eles. Não morda a isca. Mesmo em nossas comunidades religiosas, onde o esperado seria encontrar um lugar cheio de amor e aceitação, você encontrará quem goste de fofoca e que tenta controlar o comportamento daqueles que discordam delas, apontando o dedo e lhes dizendo palavras duras. Não se deixe levar por essa fé mutante. Você saberá que encontrou a comunidade certa quando toda a conversa é sobre Jesus e o que Ele fez com Sua vida — não as opiniões de alguém sobre o que você deveria fazer com a sua.

O espaço em que estamos é seguro. Assim, permita que eu lhe faça algumas perguntas. O que você está fazendo com sua vida? Você se afastou de um lugar onde se sente em casa? Deixou de ser um otimista em busca da virtude para ser um cínico moderno? Você fica nervoso e desanimado depressa ou encontra esperança e possibilidades onde quer que olhe? O que seria necessário para começar a buscar as virtudes nas pessoas e nas circunstâncias em que você se encontra?

São perguntas profundas e sérias, e espero que você as responda de coração, com honestidade, aceitação e acolhimento... ainda que não goste das respostas. Se pretende viver uma vida sem distrações e com um propósito grandioso, é preciso começar sendo brutalmente honesto. Se ainda não tentou, deixe-me contar um segredo surpreendente: é revigorante e libertador dizer a verdade a si mesmo. Não tenha medo de dar nome aos bois. Você foi desviado por essas distrações do espírito? De vez em quando, sei que fui. A maioria de nós foi. Deus não fez sua vida para ser uma prisão. Ele já rompeu as amarras e derrubou os portões. Não deixe uma mentira detê-lo por mais tempo. Você é tão livre quanto se permite ser. Deus convida todos nós a caminhar sob o sol. Ele está nos indicando o caminho para o avião.

Sei que às vezes fica escuro, mas nivele as asas, adquira certa altitude, fique de olho na bússola e direcione sua vida para Jesus.

# CAPÍTULO 4

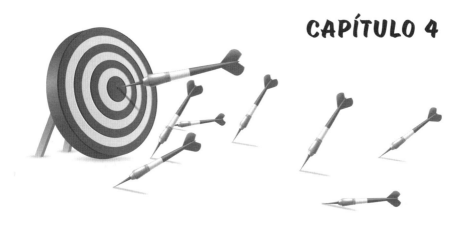

## A FELICIDADE DA BUSCA

*A distração pode engessar sua agenda e roubar sua felicidade.*

Quando eu estava aprendendo a pilotar aeronaves, percebi logo de cara que existe um acrônimo para quase tudo no mundo da aviação. Por exemplo, antes de decolar ou pousar, você faz uma checagem GUMPS.* Isto é, garante que esteja usando o tanque com mais *combustível*, para não ficar sem

---

\* Sigla em inglês para combustível (*gas*), trem de pouso (*undercarriage*), mistura (*mixture*), hélice (*propeller*) e cintos de segurança (*seat belts*). [N. do R.]

quando estiver próximo ao chão. A seguir, verifica o *trem de pouso* do avião para garantir que as rodas estejam abaixadas e travadas — sempre uma boa pedida. Para ter propulsão para decolar ou dar uma volta e tentar de novo, se o pouso não sair conforme o planejado, é preciso que a *mistura* do combustível seja a mais rica possível. Os controles da *hélice* de um avião podem alterar o ritmo com que ela corta o ar e também precisam ser ajustados para a potência máxima. Por fim, os *cintos de segurança* precisam ser afivelados e verificados.

Todo ano, você ouvirá histórias sobre alguém que ficou sem combustível e caiu, pousou com a parte de baixo do avião porque se esqueceu de baixar as rodas ou não teve a propulsão necessária para decolar. Você poderia achar tudo isso óbvio para qualquer pessoa com licença para voar. Porém, com todas as decisões que um piloto precisa tomar em tão pouco tempo, mesmo os pilotos comerciais mais experientes correm o risco de deixar passar etapas importantes. Logo, eles fazem uma checagem GUMPS antes de toda decolagem ou pouso, a fim de organizar o fluxo das decisões.

Na aviação, o segredo é ter uma cabine tranquila. Trocando em miúdos, você precisa evitar ser distraído pelo que está acontecendo no lado de fora da cabine e perder o controle do que ocorre lá dentro. Tragicamente, foi isso que aconteceu com a lenda do basquete Kobe Bryant, sua filha e sete outras pessoas a bordo. O piloto se desorientou com o que ocorria fora da cabine, resultando em uma queda devastadora. Aquiete sua vida se ela ficou barulhenta. Encontre uns amigos de confiança e reduza um pouco as atividades de sua vida.

Quantas decisões você acredita que toma em um dia típico? Umas dez? Cem? Mil parece um pouco mais próximo? Ouça isto: cada um de nós toma cerca de 3.500 decisões todos os dias. Mais, se você passa uma hora na loja de doces. Algumas decisões são corriqueiras, outras, mais importantes. Decidimos onde moraremos, se e com quem nos casaremos, que emprego aceitaremos e qual deixaremos, se compraremos um carro ou tomaremos um ônibus, se comeremos bolo ou legumes (aposte no bolo para vencer), em quem acreditaremos e em quem não acreditaremos, aonde iremos e por quanto tempo ficaremos, qual fé adotaremos ou ignoraremos e mais um sem-número de outras decisões.

Porém, eis uma coisa surpreendente: a maioria de nós nunca decide ser feliz. Aposto que a maioria de nós pensa que "ser feliz" é o resultado de outras escolhas, mas isso não é tudo. Claro, as circunstâncias podem ser pavorosas, mas sentir-se feliz é uma escolha como qualquer outra. Não é que não desejemos ser felizes; apenas ficamos distraídos por tantas coisas infelizes que nunca recuperamos a felicidade. Talvez acreditemos que precisamos de um convite ou permissão para sermos felizes. E se quisermos que sentimentos felizes se transformem em uma alegria profunda e duradoura, com uma vida útil mais longa?

Reflita no seguinte: em contraste com nossa complicada árvore de decisões, uma criança toma menos de 10% das decisões que os adultos tomam todos os dias. Talvez uma das vantagens da fé de criança da qual Jesus disse que precisamos é haver menos decisões a tomar, e, a partir daí, menos distrações para administrar. Já viu uma criança com uma pilha de Legos? É como se o resto do mundo sequer existisse. Elas se perdem na bela singularidade da alegria criativa e do propósito que descobrem na brincadeira. Elas não se importam se estão adiantadas ou atrasadas para a próxima atividade. Estão 100% presentes e totalmente sem distrações. O tempo todo, o céu dança e comemora a beleza simples de uma criança que brinca e nos convida a fazer o mesmo. Talvez tenhamos algumas lições a tirar das crianças ao nosso redor: ficar totalmente absortos em algo duradouro com o qual nos importamos, eliminar algumas das decisões que tomamos e redescobrir nossa alegria.

A maioria das pessoas espera encontrar a felicidade em casa, mas a dura verdade é que elas não estão por perto durante tempo suficiente para vivenciar o que já as espera lá. Distrações simples e complexas nos afastam das pessoas que amamos. Quando isso ocorre, o resultado é ao mesmo tempo sutil e tóxico. Começamos a nos contentar com a proximidade, e não com a presença um do outro. Entende o que quero dizer? Você saberá que isso está acontecendo com você apenas ouvindo o básico do que seu ente querido fala sem tomar nota das emoções e linguagem corporal que também estão presentes no recinto. Essas distrações estão disfarçadas de fantasias familiares como carreira, compromissos e promoções. Elas invadem nossos lares vestidas de atividades extracurriculares, esportes e telas eletrônicas. Parecem ligações de negócios, videogames, conferências pelo Zoom, programas de televisão, comitês, reuniões e, às vezes, até igrejas.

Se quisermos ter uma vida menos distraída, precisamos cair na real e admitir que a correria, na verdade, está roubando nossa alegria. Eis a boa notícia: podemos ajeitar isso com a mesma facilidade com que bagunçamos. Arrume uma bola e converse com seus entes queridos sobre seu dia passando essa bola um para o outro. Se mexer no celular enquanto joga bola, correrá o risco de levar uma bolada. Isso é que é se arriscar em um jogo. Pegue um pouco de lenha e acenda uma fogueira. Arranje umas cadeiras e convide pessoas com quem você não se conecta há algum tempo para se sentarem nelas, e então observe as chamas dançarem. Vá em frente e fique perto da fumaça, e no dia seguinte, suas roupas terão o cheiro de dezenas de ótimas conversas.

Faça isso com certa urgência também. Você não tem tanto tempo quanto acha que tem. Confie neste sujeito que está por aqui há algum tempo. Há um ditado que descobri que geralmente se aplica: os dias são longos, mas os anos são curtos. Se você preencher seus dias com coisas triviais, chegará um momento em que olhará para trás e um ano, uma década ou meio século terão se passado. Não espere ficar velho para se perguntar: *o que fiz com todo aquele tempo?* Por que não se perguntar isso neste exato instante? *O que farei com todo o tempo que tenho à frente?* Qual você quer que seja sua resposta? Uma vez que decidir como quer que seja o futuro, faça algumas mudanças como se sua vida fosse realmente sua — porque ela é. Largue o emprego, ligue para o seu amigo, peça desculpas, dê início ao sonho, arrisque... o céu está só esperando que façamos isso.

Passei um tempo analisando os ramos de minha árvore genealógica, e acontece que a maioria dos homens Goff vêm de fábrica como um brinquedo de corda, com apenas um certo número de voltas. Somos coelhos da Duracell que simplesmente param de bater no tambor e capotamos por volta da mesma idade. Pelo fato de aparentemente todos cairmos mortos mais ou menos na mesma época, coloquei essas datas entre parênteses e tenho um relógio que faz uma contagem regressiva a partir daí para me lembrar de quantos dias ainda me restam. Isso parece maluco ou mórbido? Acho que não é nenhum dos dois; acho que é brilhante. Experimente. Descubra quanto mais você acha que viverá, configure um temporizador para fazer uma contagem regressiva a partir daí e veja como isso muda seus dias. Aposto que brigará menos e navegará menos nas redes sociais. Você procurará mais arcos-íris, descobrirá mais cachoeiras e assistirá mais pores do sol. Surfará ondas, em vez de surfar na internet, e trocará reality shows pela... verdadeira realidade. Trocando em miúdos, sua vida real será tão boa, que nada artificial o distrairá mais.

É fácil cair na armadilha do "Serei feliz *quando*...". Tendemos a pensar que a felicidade é algo *externo* que precisamos obter. Esse tipo de adiamento parece confiável, mas ouça bem: não é. Em vez disso, que tal começar afirmando a si mesmo, com a ajuda de Deus, "*Vou* atrás da felicidade" sem etapas eliminatórias ou complementos? Paulo falou a respeito em um nível mais aprofundado. Ele falou sobre se contentar.[1] Por que não se tornar profissional nisso? Substitua o termo *contentar* ou as palavras *totalmente presente* pelo termo *feliz*, e aí a coisa muda de figura: "*Serei* contente." "*Estarei* totalmente presente." Essas afirmações podem gerar um poder tremendo e inexplorado em sua vida. Essa é a parte surpreendente: o poder para fazer isso acontecer está em suas mãos, se quiser. Isso significa que você conseguirá controlar todas as suas circunstâncias, seus reveses, resultados e decepções? É claro que não. Entretanto, você pode influenciá-los. Podemos eliminar as distrações que têm obscurecido nossa visão daquilo que Deus está fazendo no mundo. Mudaremos de dentro para fora.

Não precisamos cobrir nossas apostas contra decepções mantendo nossas expectativas baixas. Essa rampa de decolagem grande, enganosa e furada não vale a pena e não o levará a nenhum lugar de valor. Suponha, em vez disso, que Deus fará inexplicável, descontrolada e insondavelmente mais do que você jamais poderia ter visto ou imaginado. Se isso não o faz se sentir nem um pouco feliz e animado, você precisa de um sundae.

E, mais uma vez, antes que você descarte rápido demais o "ser feliz" ou achar que a alegria é uma extravagância inútil ou um algodão-doce para o cérebro, vamos refletir por um instante. Pessoas felizes e cheias de alegria obtêm muito mais realizações do que as que não são. É verdade, e as únicas que não conseguem enxergar isso geralmente são as infelizes.

Se você escolher a felicidade e a alegria, o resultado será bondade, empatia e envolvimento. Se houver alegria dentro de nós, todos saberão, porque ela será expressa externamente como bondade, cuidado e ação em sua vida. Você será mais simpático, e confie em mim quando digo que é disso que a Terra mais precisa. Por que estou lhe dizendo para ser simpático em um livro sobre distrações? O motivo principal é porque pessoas antipáticas distraem todos ao redor. Você sabe que é verdade, e, se faz parte do time dos não simpáticos, pode apostar nessa causa e efeito: não conseguiremos dar cabo do importante, corajoso e decidido trabalho de sermos as versões inestimáveis de nós mesmos se não estivermos sendo simpáticos conosco ou com as pessoas ao redor. Não confunda "simpático" com falso ou artificial. Encontre sua alegria e descobrirá uma reserva de honra, respeito, empatia e cuidado com os outros. Resumindo, será mais legal ficar perto de você.

Mas aqui está uma coisa que você já sabe: é difícil ser simpático o tempo todo. Por exemplo, eu acho que sou um cara bem simpático. (Perguntei por aí para confirmar.) No entanto, não chego nem perto de ser simpático na maior parte do tempo. Aposto que tem gente que pensa que sou discreto em relação a não ser simpático com as pessoas ao meu redor. Elas percebem um tom de voz, um gesto, uma palavra sarcástica, uma linguagem corporal sutil ou um revirar de olhos como sinais de minha desaprovação. Muitas vezes, as pessoas que fizeram um carnaval sobre sua falta de simpatia também não são lá muito simpáticas. A verdade é que usamos uma quantidade insana de energia classificando o lado mau das pessoas ou controlando o nosso — desperdiçando energia que seria mais bem empregada vivendo a vida grandiosa que Jesus disse estar disponível para nós.

Tenho um familiar que é realmente difícil, ou, ao menos, era. A última vez que falei com essa pessoa foi no meu casamento — quase 35 anos atrás. Espere até cair a ficha. O cara que escreveu livros intitulados *O Amor Faz* e *Everybody, Always* [*Todos Sempre*, em tradução livre] tem esse tipo de problema? Talvez eu devesse ter intitulado estes livros como *O Amor Faz (mas só às Vezes)* ou *Todos Sempre (Exceto Aquele Membro Difícil da Família)*. E você? Se fosse honesto até a medula, qual seria o nome do livro que sua vida estaria escrevendo?

Lembre-se: a maioria das pessoas desagradáveis por aí não se acha má. Elas pensam que estão certas. Se você é uma pessoa de fé, em algum momento terá de decidir se quer estar certo ou se quer ser como Jesus. Escolha com sabedoria, pois estará escolhendo mais do que apenas entrar em uma briga; estará escolhendo seu legado. Se você tem dificuldades para ser gentil, em vez de passar as marchas, talvez seja melhor pisar na embreagem e descobrir o que está incentivando esse comportamento. Não estamos aqui para julgar e avaliar a vida alheia; deveríamos ser aqueles que estão torcendo das arquibancadas e acenando no ar em antecipação ao que vem a seguir na vida de alguém. Quando estar certo vem antes de ser gentil, precisamos recuperar o fôlego e decidir, mais uma vez, quem queremos ser.

Babacas são rapidamente esquecidos, mas uma única atitude gentil misturada com alegria pode ser lembrada para sempre.

Além disso, hoje em dia o mundo parece cheio de babacas — e, se você é mau, isso faz pessoas más parecerem normais, e esse não deveria ser o padrão.

**AS DISTRAÇÕES ROUBAM NOSSA HABILIDADE DE VIVER** o momento e discernir o que é duradouro. Pode ser muito satisfatória a sensação de dar um soco em alguém de quem você discorda ou de quem não gosta, sobretudo se essa pessoa está tomando uma posição ridícula ou insustentável. Por algum tempo, pode ser reconfortante experienciar o "nós *versus* eles", porque isso nos dá uma sensação de pertencimento a uma legião de pessoas igualmente furiosas. Mas nossa última morada não tem endereço de devolução na Terra. Portanto, buscar coisas duradouras é sempre uma boa jogada em longo prazo.

Quando eu era escoteiro, passávamos uma quantidade enorme de tempo aprendendo a construir, montar barracas e apagar incêndios da maneira correta. O chefe dos escoteiros nos guiava pela floresta ao redor do acampamento, apontando qual madeira durava mais e era boa para queimar, bem como outras madeiras que produziriam chamas altas, mas apenas por pouco tempo. Se for de ajuda para a próxima vez em que for acampar, eis uma dica: madeiras duras, como carvalho, são excelentes para queimar; madeiras leves, como pinheiro, não são. O carvalho queima delicadamente e produz pouca fumaça; o pinheiro brilha como uma vela romana, mas logo se apaga. Ele nos ensinava que, se você quiser uma fogueira duradoura e quente, precisa escolher a madeira certa. Fica a lição: se quiser causar um grande impacto no mundo, pare de jogar pinheiro na fogueira de sua vida e passe a queimar carvalho. Trabalhe em longo prazo. Paulo não disse nada menos que isso a seus amigos. Ele os lembrou de atiçar as chamas da fogueira que Deus iluminara nas vidas deles.[2] Resumindo, se você quiser a fogueira certa, obtenha o tipo certo de madeira.

Se quiser que sua chama queime mais em sua vida, não continue cedendo ao egoísmo que gera distrações para você. É como colocar madeira verde no fogo. O motivo é este: não podemos produzir calor tentando queimar a madeira verde prontamente disponível. Vergonha é como a madeira verde. A inveja e fazer comparações também. As preocupações são como madeiras verdes em sua vida. Discussões desnecessárias também são como madeira verde. Dessas, tudo o que você conseguirá é fumaça.

Desfaça-se das pequenas distrações. Pense no uso do telefone como uma traição à sua família. Se você tem o hábito de ficar constantemente checando as telas, não seja duro consigo mesmo. Apenas encontre um hábito melhor. Faça macarrão, alimente beija-flores, compre uma bateria ou uma tuba. Arrume um cofre para armas e coloque seu telefone dentro quando chegar em casa. Dê a seu cônjuge ou a seus filhos a senha ou a combinação. Lembre-se da importância de estar totalmente presente para sua família e de não perder nada. Mude o toque do seu celular para "Cat's in the Cradle",** de Harry Chapin. Você interagirá menos com o celular e mais com seus filhos.

Se deseja ver sua vida mudar, dê uma olhada realista no lugar onde você está agora. Como você está investindo seu tempo? Escreva em um prato de papel quanto tempo você passa com a família. Pense no prato como um gráfico de pizza com as 24 horas que você tem todos os dias. Se você passa 8 horas dormindo, maravilha. Durma 9, se precisar. Mas passe uma caneta nessa parte do prato de papel. Quanto tempo você passa trabalhando, seja de forma presencial, no local de trabalho, ou remotamente? Seja honesto. Não marque o pouco tempo que você *gostaria* de passar trabalhando. Marque a quantidade de tempo que você realmente gasta nas diferentes áreas de sua vida. Se os limites ficaram indistintos para você, peça uma estimativa a alguém que ama ou com quem mora. Você pode ficar chateado

---

** Música que fala sobre um pai ausente, que está sempre ocupado e não tem tempo para seu filho. [N. do R.]

com a resposta dessa pessoa, mas divulgaremos a verdade. Pelo menos você saberá com o que está lidando.

Pergunte-se quanto tempo sem distrações você está passando com seus entes queridos. Se você é casado, com que frequência está se aprofundando e praticando autenticidade? Marque aí. Não se esqueça do tempo que gasta em busca de coisas que lhe dão alegria, propósito e estímulo — seja ler um livro, andar de monociclo ou caminhar tranquilamente no parque. Pessoas que vivem com muito propósito e direcionamento têm uma quantia inversamente proporcional de distrações que permitem na própria vida. Dê uma boa olhada em seu prato quando tiver descoberto o que está acontecendo em sua vida. Você saberá que está distraído se os lados das fatias da pizza não corresponderem ao formato de vida que deseja.

Não desanime se não gostar do que vir. Isso tem conserto: cerque-se de lembretes sobre quem você é e o que quer. Configure alarmes para marcar o fim de uma atividade e o início de envolvimento total com a próxima. Faça uma bandeira familiar. Coloque imagens e símbolos nela que o lembrarão do que é mais importante para seus familiares. Hasteie a bandeira sobre sua casa e sua vida todos os dias. Uma bandeira também o ajuda a dizer às pessoas do que você precisa. Se é um bolo de chocolate, coloque isso na bandeira e hasteie. Nossos amigos não saberão do que precisamos se não indicarmos.

Volte a contatar amigos e entes queridos de quem você se distanciou. Procure-os como se tivessem algo que pertence a você, porque eles o têm. Quando algo dá errado, em vez de dizer "Espero que você fique melhor" aos seus amigos, descubra como ajudá-los a melhorar de verdade. Isso exigirá sacrifício e comprometimento de sua parte, mas quem não está mais levando uma vida distraída faz coisas do tipo pelas pessoas importantes.

Não está ouvindo o tique-taque do relógio? Seus anos podem ser deixados de lado pelas várias decisões diárias que a vida exige de você. Talvez você precise romper com algumas das rotinas em que entrou. Lembre-se de que, para a maioria de nós, a distração é a norma — a posição padrão. Quando você sobrecarrega sua vida com decisões que parecem importantes, mas não são, você renuncia à chance de escolher felicidade e alegria.

Então, por onde começar? Bem, existem tantos pontos de partida quanto desculpas. Primeiro, tenha consigo mesmo a conversa difícil que vem adiando. Talvez você tenha que romper com seu passado. Sei que será dureza fazer as mudanças necessárias, mas faça assim mesmo. Declare-se totalmente livre dessas distrações, desses hábitos e dessas atividades que se tornaram habituais, mas que não estão mais lhe servindo. Abra espaço para novas rotinas que o levem à pessoa que você está se tornando e, então, substitua todos os antigos hábitos que adotou que escureciam o caminho.

Você sabia que a Declaração da Independência norte-americana tem somente 36 frases? Se uma miscelânea de colônias rompeu com a Inglaterra em 36 frases, você pode romper com suas distrações em umas 10. Você precisa de uma frase com conversas internas negativas? Escreva-a. Deixe esses absurdos de sobreaviso, pois você os está deixando por completo. Declare "não sou eu, é você. Estou fora". E a vergonha, ou o fato de ficar agradando as pessoas? Chute-os para a sarjeta. E pedir permissão para fazer as coisas que você já tem permissão de fazer? Você só será livre à medida que acreditar que é. Escreva sua "Declaração contra a Distração" e aperte os cintos. Você acabou de gerar espaço para uma abundância de alegria e propósito chegarem inundando sua vida.

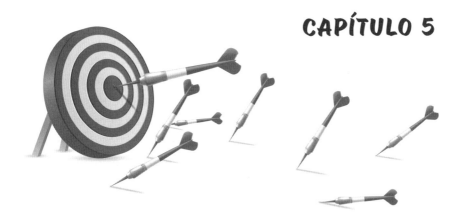

# CAPÍTULO 5

## QUANTOS DEDOS ESTOU LEVANTANDO?

*Deixe-se cativar pelo propósito e se importará menos com as previsões alheias.*

Quando eu era menino, alguém da minha classe começou a espalhar que eu era uma criança-prodígio. Não durou muito, mas fiquei pelo menos uma semana com o título. Não fui eu quem deu início ao boato, mas teria sido uma ótima ideia se eu tivesse sido esperto o bastante para pensar nela. No entanto, antes de a bolha estourar, me transferiram para uma escola pomposa para crianças superdotadas. Em um só dia, quebrei tantas regras que me mandaram de volta imediatamente.

Não me lembro das ofensas, mas, independentemente disso, elas devem ter sido colossais. Quem sabe — talvez eu não soubesse o nono valor do pi ou que isósceles era um triângulo, e não um sorvete. Também não pude voltar para minha escola anterior, por causa das regras do distrito escolar. Portanto, lá estava eu, permanentemente expulso do jardim de infância. O que eu fiz deve estar sob sigilo ou algo assim, porque nunca descobri qual foi minha ofensa. Quando cheguei em casa, lembro-me de que minha mãe estava no alto da escada pintando o reboco nos fundos da casa. Tudo o que ela disse foi: "Estou tão decepcionada." Ela balançou a cabeça e pronto. Não sei se um de nós dois chegou a se recuperar dessa decepção. Assim teve início minha carreira como pessoa de baixo rendimento.

Minha segunda temporada no jardim de infância veio um ano depois. Passei com louvor. Não, é sério, eu era elogiado por atirar meus lápis de cor mais longe que qualquer outro colega. Foi aí, logo na primeira infância, que meus pais começaram a perceber que minhas peças de Lego não se encaixavam da mesma maneira que as dos outros.

**QUANDO EU ESTAVA NO ENSINO FUNDAMENTAL, AS** coisas não eram como são agora. Na época, havia dois tipos de classes para cada série: a classe para as crianças adiantadas e a classe para as crianças lentas e os encrenqueiros. As pessoas encarregadas da inserção devem ter lido meus arquivos, porque me colocaram direto com os alunos de baixo desempenho. Eu me lembro de meu professor, o Sr. Ramos. Era o único professor do sexo masculino na escola, e ele era enorme — enorme tipo um jogador de futebol americano. Era uma figura intimidante para todos nós, de 8 anos de idade, com seus bíceps proeminentes, antebraços com veias salientes e um olhar irritadiço que faria um cachorrinho ganir. Acho que a escola pensou que essa ilha de brinquedos desajustados precisava de uma mão pesada para nos manter na linha, porque o Sr. Ramos nos avisou desde cedo que não aceitaria nenhuma "travessura" de nossa parte. Escrevi entre aspas porque me lembro claramente de que ele disse algo muito diferente e mais ameaçador. Ele deixou claro para nós que era o chefe.

Na nossa turma, havia um cara chamado Mark. Aos 8 anos, ele era quase tão grande quanto o professor. Era o líder de nosso pequeno grupo. Durante o recreio, bolávamos planos elaborados sobre como derrubar o Sr. Ramos e nos reuníamos em grupo para planejar isso usando salgadinhos, caixas de leite e as cascas dos sanduíches que a mãe da gente se esquecia de tirar. Éramos, claramente, uma turma de durões. Eu não conhecia a história de vida de Mark, mas imaginei que ele era da máfia ou algo do tipo. Em voz alta, eu perguntava no parquinho se alguém de 8 anos podia fazer parte da máfia, e Mark era a confirmação de que isso era possível.

Fico triste em dizer que não saí dessa mediocridade por muito tempo. Na verdade, por muitos e muitos anos. Durante todo esse tempo, a decepção de meus pais comigo se agravava a cada boletim com notas ruins. Quando finalmente cheguei ao ensino médio, eu ainda não era lá essas coisas como aluno. As palavras *feito para a universidade* não eram usadas com meu nome na mesma frase por nenhum dos orientadores da escola. Tudo o que esperavam de mim era que eu tirasse um diploma, e cumpri esse objetivo quando, por um milagre, me formei. Parecia que minha trajetória se destinava a fazer algum trabalho comum até ter idade para me aposentar. Aí, eu sacaria a Previdência Social até o governo não permitir mais ou o sistema quebrar. Para as pessoas que eu mais admirava, sempre tive capacidade mental reduzida. Eu não tinha potencial para viver de acordo com as expectativas que elas criavam para mim, e não me ocorria encontrar um enredo diferente para viver. Levaria um pouco mais de tempo para que isso acontecesse integralmente, mas uma mudança pequena já começara a se instalar em minha mente.

Como aluno, meu objetivo era cumprir os mínimos requisitos para obter um diploma, e, então, passava a fazer um pouco menos. Se eu conseguisse atingir essa marca sem ser expulso ou preso, imaginava que meu período no ensino médio seria um sucesso. Eu frequentava as aulas esdrúxulas de inglês ou matemática, mas preenchia a maioria dos meus horários com aulas de oficina. As aulas de oficina eram o único lugar no ensino médio que fazia sentido para mim, então me inscrevi em todas as versões delas: serralheria, oficina de automóveis, oficina elétrica e marcenaria. Se "oficina de banda marcial" fosse uma opção, eu teria me inscrito e carregado um soldador de acetileno embaixo do braço.

O professor de marcenaria era o Sr. Hodgkins. Ele era um cara incrível. Na época, parecia velho, ou seja, tinha mais de 30 anos. Tinha um sotaque do sul bem forte, o que tornava engraçado ouvi-lo. Ele não tinha malícia, sorria com facilidade e tinha um comportamento desarmante. Conversava com cada aluno como um igual e nos tratava como se fôssemos espertos o bastante para não furar os pés com a parafusadeira, chupar a cola de madeira ou enfiar cavilhas de madeira no nariz. Sabe como percebi? No primeiro dia de aula, ele fez o mesmo discurso que havia feito em todas as turmas de todos os períodos: "Não se furem com a parafusadeira, não comam a cola de madeira nem coloquem cavilhas no nariz, beleza?" Todos concordamos, sem entender nada. Todo mundo gostava muito dele.

Eu me lembro de muito mais coisas sobre o Sr. Hodgkins. Ele usava camisa xadrez e botas de lenhador o tempo todo (provavelmente até para dormir). Tinha uma voz rouca e gentil. Seu rosto era um pouco enrugado por conta da idade, e ele frequentemente andava pelos corredores coberto de lascas de madeira. No entanto, o que mais saltava aos olhos na aparência do Sr. Hodgkins era que ele tinha só três dedos na mão direita. Os outros haviam se perdido em algum lugar pelo caminho.

Sempre que tínhamos um projeto novo, o Sr. Hodgkins nos mostrava como usar as ferramentas da oficina de que precisaríamos. Ele fazia uma demonstração com alguns pedaços de madeira e, depois, nos chamava para tentar. Aprendemos a usar a lixa, a furadeira e o torno mecânico. Naquele semestre, eu estava muito empolgado pensando no projeto que construiria — um par de asas estilo da Vinci que eu poderia usar para voar distâncias curtas. É brincadeira; acabei fazendo uma luminária, provando que eu conseguia transformar US$20 de madeira em um item de US$5 com uma previsibilidade inacreditável.

Um dia, quando a aula estava quase no fim, chegou a hora de usar a maior de todas as ferramentas da oficina: a serra de mesa. O Sr. Hodgkins foi até nós e ficou muito sério, enquanto rodeávamos aquele grande equipamento. Não sei por que, mas havia um clima de nervosismo na sala, como se estivéssemos prestes a mergulhar em grande profundidade ou algo do tipo. Estávamos assustados e animados ao mesmo tempo. O Sr. Hodgkins ficou perto da serra e deu tapinhas na superfície da mesa. Então sua mão pairou sobre a fenda onde a lâmina subiria, os espaços vazios de seus dedos perdidos fazendo uma carícia imaginária onde os dentes afiados logo se ergueriam. "Agora esta aqui... vocês precisam tomar *muuuuito* cuidado com ela." Todos olhamos para os dedos que faltavam, tentando não olhar ao mesmo tempo.

O Sr. Hodgkins pôs a mão para trás, acionou um interruptor, e a lâmina ganhou vida embaixo da mesa, sem ninguém ver. A oficina ficou cheia da fúria aguda de dentes de metal girando centenas de vezes por segundo. O Sr. Hodgkins alcançou embaixo da mesa e começou a girar outra roda. Ao fazer isso, a lâmina emergiu lentamente, em posição de corte. Para causar impacto, o Sr. Hodgkins se virou e olhou para nós com um sorrisinho malicioso e sobrancelhas erguidas entre uma etapa e outra. Ele colocou um pedaço de madeira na mesa e o deslizou devagar em direção à lâmina, que a cortou fina como uma torrada. Empurrou lentamente a madeira através da lâmina e gritou para nós: "Vocês têm que deixar a lâmina fazer o trabalho dela. Não empurrem com muita força. Vocês saberão a sensação depois de fazerem algumas vezes."

Ele continuou cortando a madeira, empurrando com as mãos até ela não ser mais suficiente para manter seus dedos a uma distância segura da lâmina circular. O Sr. Hodgkins parou, desligou a serra e pediu a atenção de todos. Ele fez com que nos aproximássemos. "Agora, prestem atenção para não deixar os dedos perto da lâmina, beleza?" Ele falou isso com muita seriedade, enquanto mantinha contato visual com cada um de nós. "Quando a ponta da madeira chegar mais ou menos até aqui, peguem um pauzim de empurrar e empurrem." Todos entendemos que ele quis dizer "pauzinho," mas, pelo sotaque dele, saiu "pauzim". Todos rimos.

Obviamente, em algum momento o Sr. Hodgkins não usou o pauzim de empurrar. Você acha que ele se tornou menos confiável por ter cometido um erro épico que lhe custou alguns dedos? Claro que não. Não confiamos menos nele por ter errado; confiamos mais. Sua falha era óbvia. O problema é que muitas de nossas falhas não são, e perdemos a oportunidade de ganhar a confiança das pessoas quando não temos coragem para sermos honestos e transparentes sobre elas.

Tentei imaginar aquele dia fatídico do Sr. Hodgkins e como ele deve ter se sentido. Talvez ele já fosse professor de marcenaria, ou talvez um aprendiz. Não acredito que ensinar marcenaria seja algo que aconteça por acaso. Logo, o Sr. Hodgkins provavelmente já tinha uma boa experiência com coisas como mesas de serrar. Talvez, na infância, tenha visto o pai ou a mãe construindo objetos de madeira e aprendeu a usar as ferramentas. É só um palpite, mas me pergunto se um dia ele se distraiu e perdeu alguns dedos. Ainda assim, ele continuou firme. Eu me pergunto o seguinte: quando você errar ou sofrer um revés, continuará firme?

Só porque o Sr. Hodgkins não seguiu a regra do pauzim no passado não quer dizer que ele era desqualificado para nos dar certas orientações. De certa forma, isso o tornou *mais* qualificado, pois era a prova viva do que um descuido poderia custar. Eu não o via como um deficiente; eu o via como um cara gentil e capaz, com certa experiência de vida que respaldava suas instruções.

Você imagina que o Sr. Hodgkins teve de lutar contra uma sensação de decepção e vergonha por ter cometido um erro? Talvez, mas, apesar disso, seu amor por ensinar e trabalhar com madeira o impulsionou a seguir em frente, não a andar para trás. Ele aprendeu algumas lições duras e, sem dúvida, dolorosas, mas transformou esses obstáculos em algo belo em nossa vida. Isso é o que pessoas que vivem com propósito e alegria decidem fazer.

Encontrar seu propósito de vida envolverá algumas falhas e mais que poucos obstáculos pelo caminho. Você conhece a expressão "A resistência é a chave". Um atleta precisa dela para ganhar músculos; os carros, para rodar; a nave espacial, para desacelerar; e você, para crescer. Não se identifique rápido demais como a vítima quando for o aluno. Resista em compilar uma lista de tristezas e veja como Deus vem usando esses momentos de desespero em sua vida para abrir caminho para alguma graça tão desejada.

A lição que aprendi naquele dia com marcenaria se manifestou de outras maneiras desde o ensino médio. O que quero dizer é: pessoas falharão; eu falharei; você falhará; nós falharemos. Mostre-me alguém que aparentemente não cometa falhas e mostrarei a você uma pessoa distraída mantendo um ego direcionado pela aparência em detrimento da autenticidade vulnerável. Às vezes, as falhas são grandes, feias e públicas, deixando cicatrizes visíveis e permanentes. Outras vezes, elas são particulares, mas igualmente dolorosas. Em algumas ocasiões, a impressão será a de que alguém falhou de propósito, porque a ideia era tão ruim ou a conduta era tão ultrajante, que é difícil concebê-la como mero erro. O fato é que a maioria das pessoas não tem a falha como objetivo. Às vezes, só nos esquecemos por um tempo de quem somos. Esquecemos as regras e os limites que definimos para nós mesmos. Ouvimos menos vozes e nos pegamos concordando por um momento. Nos esquecemos do pauzim e pagamos o preço. Às vezes as pessoas que mais amamos também pagam o preço.

Fazemos o mesmo em relação a Deus. Não conheço muitas pessoas que decidiram decepcionar a Deus, no entanto, em dado momento todos nós fazemos isso. Mas o negócio é o seguinte:

quando cometemos um erro, temos a chance de levar Sua graça para dar uma volta. Mesmo as origens em hebraico da palavra *graça* nos apontam para uma bela direção. Imagine armar uma barraca no meio de uma região cercada e protegida por um muro de outras barracas, umas bem perto das outras. Graça não tem a ver com "repetição"; tem a ver com proteção. Nossas falhas nos lembram de nossa necessidade desesperada por mais graça e ajuda divina, não por menos. Nossas falhas reforçam os propósitos importantes e valiosos que estamos tentando viver porque, se não nos importássemos tanto, não veríamos nossos lapsos como falhas, para começar.

O desafio é: em que você acreditará ser capaz após uma falha? Chegará à conclusão de que deixou de seguir a receita de outra pessoa para a sua vida? Desistirá de fazer a única coisa que Deus colocou exclusivamente à sua frente para dominar, mesmo que a tenha abafado na primeira vez? Deixará que a aprovação e os aplausos sejam o termômetro de seu sucesso, propósito e sentido? Ou terá como meta algo diferente e mais belo, algo que Deus preparou para você?

**DESDE QUE ELA ERA UM POUCO MAIOR QUE UM PEIXI**nho, digo à minha filha, Lindsey, que um dia um rapaz desejará se casar com ela. Dizia a ela que, se eu gostasse do rapaz, o convidaria, junto com meus outros filhos, para construir uma capela em nossa casa no Canadá para o casamento. Também dizia a ela que, se eu não gostasse do sujeito, não faríamos isso.

Um jovem maravilhoso chamado Jon entrou na vida da minha filha. Dentro de pouco tempo, o relacionamento deles desabrochou, e todos víamos o rumo que ele estava tomando. Jon é uma alma humilde e brilhante. Ele é gentil, sensato, ama a Deus e é incrivelmente prudente e focado em tudo o que faz.

Jon pediu à minha Amada Maria e a mim que o encontrássemos em um sábado. Sentados em círculo no pátio dos fundos,

Jon descreveu o que Lindsey significava para ele e como queria passar a vida aprendendo mais sobre as profundezas de seu belo coração. Como pai ou mãe, você sonha com esse dia e com a pessoa com quem terá essa conversa. Você espera por alguém tão maravilhoso quanto Jon. Modera as expectativas, porque não pode controlar essas coisas. Aqui entre nós, eu estava empolgado com Jon, mas, como pai, senti que precisava fazer uma boa cara de paisagem. Afinal, Lindsey é minha única filha, então essa conversa seria a prática e a performance para a única vaga para genro que eu tinha disponível.

Ouvimos com atenção quando ele disse que amava Lindsey e pediu nossa bênção para a decisão de se casarem, a qual eles já haviam tomado. "Bem, não sei", disse eu, medindo-o de cima a baixo só para fazê-lo sofrer um pouco. (Ele não sofreu. Ele poderia derrubar uma pantera com o olhar.) "Você sabe usar um martelo?"

"Hã?", perguntou ele.

Lindsey não precisava de uma casa para saber que seu pai e sua família a amavam. Honestamente, ela nem queria uma. Você sabe por que nós a construímos? Porque eu queria um genro amigo, não alguém que eu precisasse apenas tratar com educação. Queria que Lindsey tivesse um parceiro que gostasse de fazer parte do que estávamos construindo como família. Queria saber o poder que o propósito exercia na vida de Jon e como ele dispensava todas as outras distrações para alcançá-lo.

Um dia, no início do projeto, chegou a hora de fazer vários cortes para preparar as vigas para as paredes laterais. Para cortar uma viga, é preciso de uma serra de mesa. Jon e eu nos aproximamos, e liguei o interruptor. O ar se encheu de zumbidos altos e poeira microscópica de madeira de nosso trabalho anterior. Colocamos a primeira peça de madeira na mesa, e Jon começou a empurrar. Quando seus dedos chegaram um pouco mais perto da lâmina, ele parou e pegou um pedaço pequeno de madeira para empurrar. Pensei imediatamente no Sr. Hodgkins, no que aprendi com ele e na confiança que tinha em Jon. Ele usou o pauzim de empurrar.

Agora, o mais doido. Não terminamos a capela a tempo, e Jon e Lindsey se casaram debaixo de um pergolado que Jon construiu sozinho e cobriu de galhos. Eles gostaram mais disso do que de qualquer construção com a qual eu poderia ter sonhado. Ainda assim, trabalhar na capela como família permanecerá para sempre uma de minhas lembranças favoritas. Antes de finalizarmos as paredes interiores, convidamos amigos para o Lodge e escrevemos orações e mensagens de esperança e propósito na estrutura para nossa família e para as gerações futuras. Toda vez que entro nesse espaço, ouço-os sussurrando as verdades sobre ir em busca do propósito de Deus em nossa vida, e sem distrações.

O único roteiro que Deus tem para nós é Jesus. Ele não se preocupa com sua *alma mater*, com a pessoa em quem você votou ou com qual sua opinião sobre o assunto principal do dia. Ele não liga para a quantia que você tem na conta ou se você entra na igreja pela frente ou por trás. Ele não se importa nem se você trabalha na Disneylândia. Seu único parâmetro para você é Seu Filho, a quem Ele ama. O que é inimaginável e inexplicavelmente belo é que Deus ama você e a mim com o *mesmo amor* que dispensa ao Seu Filho, na mesma medida, sem comparação, até o fim dos tempos e além. É difícil entender esse tipo de matemática. Então, para que se importar com as notas do seu melhor amigo ou com o carro que seu vizinho dirige? Por que carregar as previsões e afirmações negativas dos que duvidam? Ocupe-se vendo a si mesmo da maneira como Deus o vê. Claro, você pode encontrar alguns obstáculos pelo caminho. Alguns deles podem tirar um pedaço seu. Mas quando vivemos com propósito, alegria e sem distrações, abandonamos o placar invisível pelo qual fomos tentados a viver. Se fizermos isso, as distrações perderão o poder sobre nós, e cultivaremos uma comunidade cuidadosa que não balança a cabeça em reprovação quando nos damos mal. Em vez disso, ela nos lembrará de nosso propósito e potencial.

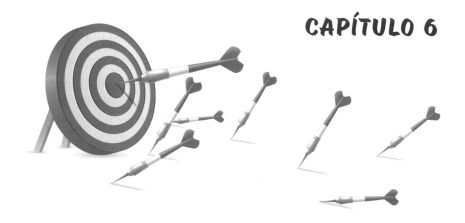

# CAPÍTULO 6

## PASSE DE ACESSO ILIMITADO

> Deus lhe deu toda a permissão
> da qual você precisa, portanto,
> não se distraia procurando
> por ela em mais ninguém.

Eram os anos 1980 no Texas, e um casal relaxava numa tranquila manhã de sábado perambulando por uma venda de garagem num bairro vizinho. Eles estavam adorando ver os pequenos cacarecos e tesouros descartados. Enquanto caminhavam em torno das mesas improvisadas, o marido avistou um violão *bastante* usado coberto por uma pilha de roupas de poliéster. Como achou que seu filho mais velho poderia gostar, ele pechinchou o valor de US$5 na etiqueta e o levou para casa. No fim das contas, essa não era muito a praia do filho mais velho, que não gostou tanto, de modo que ele passou o violão ao seu irmão mais novo, Ed, que apanhou o instrumento com uma espécie de reverência. Um sonho se acendeu dentro dele.

Desde a primeira vez que pegou no braço daquele violão, Ed sonhou em ser um músico mundialmente famoso. Ele praticou e trabalhou por anos a fio. Tocou em barezinhos e com várias bandas diferentes para adquirir experiência. Não demorou muito para Ed ficar bem bom e começar a dar shows em lugares maiores. Aos 20 e poucos anos, Ed encantava multidões com sua guitarra. Mais ou menos na mesma época, ele conheceu uma jovem cantora de música country que estava montando uma banda. O nome dela era Carrie Underwood. Ed foi convidado a se juntar à banda, e durante os vinte anos seguintes saiu em turnê pelo mundo com Carrie e detonando com sua guitarra e com seu coração incrivelmente gentil.

Ed me ligou para dizer que eles estavam de passagem por San Diego em sua turnê mundial e perguntou se eu queria um ingresso. "Sim, com certeza!", respondi imediatamente. O show estava com ingressos esgotados, e dei uma olhada na internet para verificar o valor deles. Até o assento mais barato do lugar era mais caro que um jantar para quatro, então fiquei contente por ele ter me oferecido um gratuito. As instruções que Ed me deu para entrar no show eram simples: vá até a bilheteria, peça o ingresso e encontre seu assento. Quão difícil isso poderia ser?

Quando me aproximei da arena, o clima estava eletrizante. Havia uma fila enorme de pessoas para entrar; elas estavam de bom humor e animadas com a noite divertida que teriam pela frente. Eu estava empolgado por ter a chance de ver meu amigo fazendo o que sabia fazer de melhor e abri um largo sorriso ao me aproximar da bilheteria e pegar o envelope com meu nome nele. Com o ingresso na mão, passei pela entrada e comecei a procurar meu lugar nos assentos mais afastados. Supus que eles não deixariam ingressos ultracaros na fila do gargarejo dando sopa. Mas não me importei. Só por estar na arena já fiquei animado. *Vai ser incrível*, pensava com meus botões enquanto subia os vários lances de escada até meu lugar na arquibancada.

No topo das escadas do nível superior, um cara com lanterna me parou e verificou meu ingresso. "Este ingresso não é desta seção", disse ele. "Você precisa ir até a pista. Quando chegar lá, encontre alguém com o mesmo uniforme que eu, e lhe apontarão a direção certa." Fiquei animado com esse upgrade de assento e pensei que foi muito legal da parte de Ed me deixar um pouco mais perto do palco. Fui em direção à pista principal ainda mais ansioso.

Ao chegar lá, outro lanterninha me parou e examinou meu ingresso com atenção. "Você está na seção errada, amigo", observou ele, com um sorrisinho. *Será que o cara lá no alto tinha cometido um erro e eu estava prestes a subir de novo aquelas escadas? —* disse a mim mesmo que, se isso acontecesse, devia olhar o lado bom e considerar tudo isso como um bom exercício. *Pelo menos farei minha a caminhada do dia.* Porém, em vez de dizer que eu deveria voltar, ele me indicou um lugar mais longe, no sentido do palco. "Este ingresso dá direito àquela área dentro daquele segundo palco ali. Os jovens de hoje o chamam de mosh pit."

"É mesmo?", perguntei eu, surpreso com a novidade. Ele estava apontando para um palco oval conectado por uma passarela ao palco principal. As pessoas estavam enchendo esse espaço oval onde em algum momento a banda viria e tocaria algumas músicas. As coisas estavam dando certo de verdade. Eu tinha saído da última fila e cheguei até o mosh pit. Pensando bem, eu não fazia a menor ideia do que era um mosh pit. O que seria mosh, afinal? E se caísse um pouco dele em mim, como poderia me dar conta disso e o que devia fazer para me livrar dele? Seria suficiente passar um pouco de vinagre branco nele e o deixar de molho de um dia para o outro? Percebi que não descobriria. "Partiu mosh!", declarei eu, passando pelo meio da multidão até o palco.

Não vou mentir — quando cheguei perto do mosh pit, parecia bem bagunçado. Tipo pessoas num liquidificador logo depois de alguém o ajustar no modo *liquefazer* e apertar o botão. Uma pessoa de pé na entrada pediu para ver meu ingresso. Entreguei-o timidamente, mais uma vez me perguntando se o rapaz anterior cometera um erro. Se eu conseguisse entrar, seria um dos poucos caras velhos no mosh pit, e comecei a ficar ansioso com a experiência. Só Jesus na causa, certo? O rapaz olhou uma vez para o ingresso, depois olhou de novo com a lanterna. Então, chamou outro segurança por perto para olhar o ingresso e verificar sua autenticidade. Ele olhou para mim e riu. "Cara, isto é um passe de acesso ilimitado. Você pode ir para qualquer lugar com este troço." Eu me perguntei se entrar no ônibus de turnê da Carrie e me preparar um sanduíche já não seria demais.

O ato de me arrumar um ingresso foi gentil por parte de todo mundo da banda. Eles não somente me fizeram entrar no recinto; também me deram permissão de ir a qualquer lugar aonde quisesse ir enquanto estivesse lá. A questão é que eu não percebi que tinha esse tipo de permissão em mãos. Foram necessários três seguranças grandalhões para me convencer de que eu tinha muito mais acesso do que acreditava, imaginava ou compreendia. Meus adoráveis anfitriões queriam que eu pudesse assisti-los de qualquer ponto de minha escolha. Sem dúvida, eu poderia ter assistido a distância se desejasse, mas também fui convidado para ficar no meio da muvuca. Naquela noite, o único lugar aonde não pude ir foi ao centro do palco.

Talvez seja isso que Deus também deseja que você saiba. Ele lhe deu acesso para ir a qualquer lugar na vida e o mundo inteiro para fazer isso. O único local já ocupado é o centro do palco, onde Jesus já está.

Às vezes as pessoas complicam a fé, mas o convite que Jesus nos fez não é complicado: todos nós temos um passe de acesso ilimitado, e tudo o que precisamos fazer é comparecer e reivindicá-lo. Mas usar um passe de acesso ilimitado exige uma boa dose de coragem. Se quiser liberdade para ir a qualquer lugar, precisará mudar de mentalidade. Ninguém mais é o guardião de nossa vida e de nossa alegria. Também precisamos parar, de uma vez por todas, de pedir permissão para viver naquilo que Deus já colocou em nosso coração e nos disse para compartilhar com o mundo. Resumindo, já fomos convidados para viver nossa bela vida. Portanto, não precisamos nos perguntar se esse é o nosso lugar ou se temos direito a ele.

Se você está pronto para reivindicar seu passe de acesso ilimitado, preciso alertá-lo: viver com ousadia pode deixar outras pessoas meio desconfortáveis. Eis o porquê: pessoas que ainda pedem permissão ficam inquietas ao verem esse tipo de atitude desprendida e essa visão em ação. Elas veem um subversivo ao perceberem uma pessoa audaciosa o bastante para derrubar a barreira construída entre a vida como ela é e a vida como ela pode ser. Provavelmente elas também gostariam de ter a mesma coragem. Quem sabe? Isso que dizer que, às vezes, será difícil viver assim? Pode apostar. Algumas pessoas lhe virarão as costas ou você ficará decepcionado por circunstâncias e surpresas ao longo do caminho? É claro que sim. Às vezes você ficará confuso em relação a onde essa aventura o está levando? Pode ter certeza.

Você também pode esperar um pouco de confusão, porque ter um passe de acesso ilimitado significa que nem tudo virá mastigadinho para você. Provavelmente também terá que desaprender as afirmações que, em algum momento, foram feitas pelas pessoas cínicas, mal-informadas ou desiludidas que cruzaram sua vida. Estas frases parecem familiares? *Você não é inteligente o bastante. Você não é capaz o bastante. Quem você pensa que é para fazer isso? Você não tem o que é preciso. Não vale a pena. (Leia-se: Você não vale a pena.) Por que está assumindo esse risco louco? Não está vendo que não vai conseguir?*

Talvez alguns de nós tenhamos de nos perguntar por que continuamos indo para a previsibilidade e obscuridade das arquibancadas, em vez de nos aproximarmos um pouco mais da ação. Claro, podemos agir com cautela e ir aos lugares mais distantes. As Escrituras afirmam que mesmo os discípulos observavam de longe às vezes.[1] Se fizermos isso, poderemos tirar uma selfie e até dizer que estávamos em algum lugar na arena. Ou podemos aceitar o convite de Deus para um lugar muito menos previsível — cheio de pessoas eletrizantes, vivendo a própria fé no mosh pit. Descobrir aonde seu ingresso exclusivo pode levá-lo exige que você se pergunte o que quer fazer da vida e, então, reunir a coragem e a garra de que precisará para aceitar a permissão que Deus já lhe deu. A verdade é que todos enfrentarão obstáculos, e o mundo está cheio de bibelôs, quinquilharias, pessimistas, pressões sistêmicas, injustiças e sonhos desorientados que podem nos desviar do caminho. Um passe de acesso ilimitado não é um código secreto para uma vida fácil; é a chave para uma vida mais alegre e com propósito.

Vesta Stoudt reivindicou seu ingresso e é um exemplo de mulher cheia de propósito. Ela trabalhou em uma fábrica em Illinois durante a Segunda Guerra Mundial. Inspecionava caixas de munições e notou uma falha grave. Na época, as caixas eram seladas com papel e uma aba de puxar, mas essa aba se molhava e deixava entrar água dentro do recipiente. Isso estragava a munição. Então os soldados mergulhavam as caixas em cera para deixar tudo seco. O problema era que a cera tornava muito mais difícil acessar a munição, o que é bem inconveniente, já que ficar escarafunchando uma caixa de munições em meio a um fogo cruzado pode custar a vida de alguém.

Vesta tinha dois filhos militares e conhecia várias outras famílias com soldados alistados. Ela queria que todos eles tivessem o necessário para as batalhas de que participavam. Não se limitou a ficar preocupada; pôs mãos à obra. Ela percebeu que tinha permissão para criar e inovar, então mergulhou na importantíssima tarefa de tentar consertar o problema à vista. Elaborou esquemas e fez amostras para consertar as caixas de munição. Ao finalizar o trabalho, ela preparou uma apresentação para seus supervisores, a fim de obter seu apoio. Estava convencida de que sua invenção, uma fita adesiva, poderia salvar muitas vidas. Infelizmente, seu chefe achou uma péssima ideia. Tenho certeza de que ele não era um cara ruim — talvez somente uma pessoa que não a entendeu. Por que criar uma fita à prova d'água? Lição número um: não deixe sua grande ideia definhar enquanto espera por aprovação.

Vesta não aceitou um não como resposta quando sua ideia não foi bem recebida, e ela é que não ficaria esperando pela aprovação de alguém que não conseguia entender sua visão. Ela sabia por que estava fazendo aquilo. Ela queria que seus filhos tivessem aquilo de que precisavam e se recusou a ser desviada pela pessoa que tinha autoridade sobre seu emprego, mas não sobre sua vida.[2] É desse tipo de ousadia de que estou falando. Ela estava cheia de intenções e determinada. Você é capaz de encontrar esse poder em sua vida? Consegue dar à sua criatividade concedida por Deus esse tipo de autorização incessante?

No mundo dos negócios, é um grande passo ir até seu chefe para fazer uma solicitação, especialmente quando esse chefe já bateu a porta na sua cara. Bem, Vesta não se limitou a ir até o chefe; ela foi até o presidente dos Estados Unidos. É exatamente desse tipo de salto que estamos falando. Ela enviou uma carta ao presidente Roosevelt contendo sua ideia e uma amostra. Em seguida, pediu autorização para fabricar o que havia imaginado para que as pessoas pudessem travar suas batalhas.[3]

Gostaria de ter estado lá quando a carta chegou do Conselho de Produção da Guerra. Sua ideia foi aprovada para produção imediata. E segure esta: a ideia e o trabalho de Vesta Stoudt levaram à invenção da fita adesiva. Não estou brincando. Uma mulher se recusou a acreditar que precisava de permissão para seguir seus instintos e sua imaginação. Ela fez alguns movimentos ousados para ver sua invenção ganhar vida. Para ela, não importava que os outros não entendessem, não aprovassem ou não enxergassem que a ideia era necessária; ela estava focada nas possibilidades.

Hoje, militares ainda usam fita adesiva para todos os tipos de aplicações. Um de seus nomes não oficiais é "fita de 160 km/h", porque vem sendo usada para envolver para-choques de jipes e até hélices de helicópteros. Eles também a usam para remendar botas rasgadas e tiras de embalagens. Nenhuma nave espacial lançada pela NASA deixou a Terra sem um ou dois rolos de fita adesiva. A fita adesiva está por toda parte. Como diz o ditado: "Se você não consegue consertar com fita adesiva, precisará de mais fita adesiva."

O amor e a aceitação funcionarão quase da mesma maneira em sua vida. Se você não consegue consertar com propósito e alegria a circunstância na qual se encontra, provavelmente precisa de mais Jesus. Uma vida sem distrações repleta de amor, alegria, propósito e fé pode ser exatamente a fita adesiva da qual você precisa para remendar seus sonhos.

Deixe-me confirmar uma coisa da qual você suspeitou por um bom tempo. Você tem permissão para sair em busca de suas belas ideias e interesses. (A não ser que queira roubar a loja de bebidas. Nesse caso, nem tanto.) Você tem permissão para se aprofundar no relacionamento com Deus e com as pessoas falíveis que Ele fez. Você tem permissão para abandonar a carreira na qual é meramente capaz e trocá-la por aquela que vem almejando. Você tem permissão para ser duas vezes mais real do que vem sendo, e definitivamente tem minha permissão expressa para inventar a próxima versão de bolo no palito e me enviar uma ou duas caixas.

Não se deixe distrair pelo familiar ou pelos roteiros e expectativas de qualquer pessoa sobre sua vida. Amigos, pais, pastores, cônjuges... todos eles têm boas intenções. Mas, se quer surpreender a Deus, pare de achar que precisa de um ingresso diferente do que esse que você já tem. Pare de esperar alguém dizer que você tem permissão para ir em busca de suas ideias ou de suas belas e duradouras ambições. Viva a vida plenamente. Os céus mal podem esperar para ver o que você fará quando aparecer todos os dias com seu passe de acesso ilimitado. Sua existência — sua única, bela e breve vida — é o único ingresso do qual você precisa. E você já o tem em suas mãos.

# CAPÍTULO 7

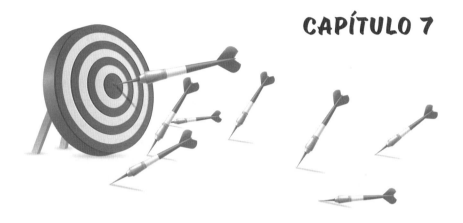

## JESUS NA SALA

> Deus já nos deu os pontos de referência para encontrarmos uma vida com propósito.

Já fui e voltei do Havaí de barco algumas vezes. Tenho planos de voltar a fazer isso logo, embora eu não saiba ao certo por que continuo nessa. Quando estou em alto-mar, passo a maior parte do tempo vomitando. Perco cerca de 9kg toda vez. Então é isso. É como um programa de perda de peso realmente conturbado, no qual você come a comida uma vez e a vê duas vezes. A viagem para o Havaí de San Diego dá cerca de 4.180km, uma palmeira a mais ou a menos, o que é uma longa jornada de qualquer maneira. Se você imaginasse sua vida como uma viagem da Califórnia até o arquipélago do Havaí, definitivamente já poderia supor que ela não se daria em linha reta ou sem águas turbulentas ao longo do caminho. Você também não sairia navegando de San Diego sem planejamento e algumas orientações para saber se está indo na direção certa.

Quando o trajeto é longo, os trechos mais curtos são divididos por pontos de referência. Ter pontos intermediários ao longo de uma rota ajuda a traçar seu progresso em direção a uma meta de longo alcance. Quando se está próximo ao fim, um ponto de referência pode ser algo como um farol, um trecho distinto da costa ou o topo de uma montanha. Pontos de referência em mar aberto são um pouco mais difíceis de encontrar e não são tão confiáveis. Você não pode chegar ao Havaí virando à esquerda na primeira barbatana de golfinho ou pedaço de alga marinha que vir pela frente. Logo, marinheiros usam pontos de latitude e longitude para marcar uma posição e traçar um caminho até ela. Eles também usam esses pontos para informar sua localização a outros. Pontos de referência são cruciais, pois é fácil se desviar ou ficar atordoado com o imenso nada da superfície oceânica. Você precisa de uma coisa sólida e constante para onde rumar se quiser completar a jornada.

Pense nos pontos de referência de sua vida como uma série de todas as coisas para as quais tem mirado, independentemente da quantidade de dias que você já viveu. Talvez sejam coisas como empregos, relacionamentos ou itens que você acumulou. Agora pense nas coisas que deseja buscar nos dias que lhe restam. Manter-se sem distrações significa manter o percurso com coisas que durarão mais que você. A jornada é longa, e o truque é encontrar pontos de referência que importem e estejam um pouco mais próximos do que aqueles para os quais você andou mirando.

Sem dúvida, querer uma "vida boa" é uma ambição maravilhosa e vale o esforço, mas conseguir isso pode ser uma longa distância entre onde você está hoje e onde desejará estar quando cruzar a linha de partida do céu. Aqui está minha sugestão: vá por partes. Converse consigo mesmo e, talvez, com alguns amigos de confiança sobre o que constitui uma vida boa, com propósito e cheia de alegria. Foque algumas dessas coisas e tente dois ou três movimentos rumo a elas todos os dias. Repita essa prática por cinquenta anos, e prometo que você terá "vivido uma vida boa". Não é a boa sorte, um bilhete da loteria ou um truque de mágica que o farão chegar lá, mas um foco constante e sem distrações e vários bons hábitos diários. Talvez seja por isso que Deus deu aos israelitas um dia de comida de cada vez e que Jesus ensinou Seus amigos a rezar pelo pão *de cada dia*, e não pelos pães da vida inteira de uma só vez.[1]

Sabia que você realmente pode flutuar até o Havaí — ou ao menos tentar — se tiver uma embarcação que não afunda? Não recomendo isso para férias ou como forma de viver a vida, mas, se você optar por ir até as ilhas, há uma corrente próxima ao Cabo San Lucas, México, que o levará para o oeste a 25 centímetros por minuto. Isso é bem rápido se você estiver se movendo de um lado para outro do sofá. Mas, se estiver atravessando um oceano, esse ritmo o decepcionará. Levará meses, e, mesmo assim, você passará centenas de quilômetros ao sul do arquipélago. Sequer verá um vulcão ou um coqueiro ao passar.

É aqui que quero chegar. Uma deriva lenta em uma direção genérica provavelmente não o levará aonde você quer ir na vida, e você não chegará rapidamente a algum lugar. Distrações não são fluxos. São correntes lentas que o afastarão de suas ambições, seus relacionamentos e sua alegria, o tempo todo.

Não importa sua idade. Agora é o momento perfeito para destrinchar e esclarecer o que você realmente está buscando se quiser ter alguma esperança de se aproximar dessa busca. Apenas dizer a si mesmo, em termos gerais, que você vai "para o oeste" também não funcionará. O oeste é um lugar grande, e suas versões incluem tudo, menos coisas do leste. Em vez disso, navegue rumo a algo mais preciso e que valha a viagem se quiser chegar a um destino mais significativo. Comece nomeando as coisas com propósito em sua vida e que irão longe — como fé, esperança e amor.[2] São as coisas que Jesus afirmou que durariam mais que todas as outras. Uma vez que você identificou essas coisas em sua vida, não pare por aí; ocupe-se tendo-as como mira.

Minha principal esperança é decidirmos levantar vela, em vez de esperar a hora certa de sair do cais. Em seguida, defina um curso determinado sempre em frente, com o vento em suas costas e alegria no coração, e não se contente com o fluxo lento. Tenha isto em mente: só peixes mortos vão com o fluxo. Não seja um deles. Pessoas que realizam muita coisa na vida são repletas de alegria e ambições duradouras; elas escolhem uma direção, dão os passos e tomam as atitudes necessárias para continuar o trajeto. Seja uma delas e reencontrará sua alegria.

Entretanto, levantar velas não basta. Não se deixe distrair pelo falso positivo da produtividade vazia. A atividade pode levá-lo a acreditar que está fazendo progresso quando não está, e ocupações podem parecer propósito quando, na verdade, não passam de um monte de energia irritadiça e desenfreada. Por que não decidir agora trocar toda a atividade frenética com a qual você se medicou? Troque-a por um destino digno, clareza de direção, confiança na permissão que você já tem, determinação em manter o curso e alegria durante a jornada. Tenha certeza de que mais do que poucos imprevistos acontecerão ao longo do caminho — então, saber por que você está fazendo o que está fazendo é crucial.

Tenho um amigo que fez a viagem do Havaí para Seattle alguns anos antes de eu levantar vela pela primeira vez, então lhe pedi algumas dicas. Ele me contou que toda preparação é necessária — como era de se esperar —, mas também cabeça fria e uma lista de verificação com que se pode trabalhar com confiança para não se esquecer de nada importante.

Você já dormiu depois que o alarme tocou na manhã em que deveria pegar um voo? Você acaba jogando um monte de coisas em uma sacola e espera que tudo esteja ali antes de sair correndo pela porta. Isso pode acontecer com qualquer um. A partida de meu amigo do Porto de Ala Wai em Oahu foi mais ou menos assim. Ele estava com muita pressa, e seu último ato frenético foi completar o combustível e a água do barco antes de começar sua travessia oceânica. Era uma coisa 100% apropriada de se fazer para uma viagem tão longa. Porém, após alguns dias no mar, eles tiraram um pouco de água do tanque de armazenamento, e o gosto estava bem ruim. Na pressa, meu amigo acidentalmente encheu o tanque de água com diesel e o tanque de diesel com água.

No fim, o erro apressado e simples de meu amigo trouxe consequências sérias. Por haver diesel na água, eles não podiam bebê-la. Consequentemente, comeram um monte de pêssegos em lata. Isso gerou alguns resultados previsíveis, e eles acabaram ficando bastante ocupados sob o convés. Foi um problema e tanto, mas não o único. Por haver água no tanque de diesel, o motor parou. Por causa disso, as baterias não carregavam e acabaram pifando. Por não haver baterias, eles não tinham como chamar ajuda pelo rádio e perderam o equipamento de navegação eletrônica necessário para verificar os pontos de referência. Sua única opção era seguir em frente em uma direção genérica e navegar o melhor que pudessem, diante das circunstâncias.

Eles sobreviveram à viagem, mas erraram seu destino em centenas de quilômetros. Não deixe a distração desencadear esse tipo de efeito cascata de consequências não intencionais em sua vida.

**EXISTE OUTRA FORMA DE ESTARMOS À DERIVA, QUE** tem menos a ver com nossas decisões e mais a ver com nossos relacionamentos e nossa fé. Alguns amigos meus são músicos de primeira linha e se apresentam em palcos bem grandes. Sempre que estão na minha cidade ou cruzo com eles quando estou viajando, tento ir a seus shows. Adoro ver as pessoas brilhando com os próprios talentos, e música ao vivo é um jeito divertido de ter essa experiência. Então, quando um amigo me convidou para seu show, falar sim foi fácil — e cheguei cedo para poder ficar um tempo com ele na sala verde.

Naquela noite em particular, mais de mil pessoas aguardavam ansiosamente no local para o concerto começar. Nos bastidores, alguns membros da banda estavam na sala enquanto meu amigo e eu colocávamos o assunto em dia e ríamos de algumas aventuras compartilhadas ao longo dos anos. Tínhamos aprontado várias, e havia muito o que conversar. Após alguns minutos, olhei para a direita e percebi um rapaz sentado sozinho na ponta da mesa. Estava com as mãos dobradas no colo e tinha um sorriso pacífico no rosto ao olhar em nossa direção. Acho que era amigo de alguém da banda, pois todo mundo parecia conhecê-lo.

Às vezes as pessoas tendem a puxar conversa, mas o rapaz na ponta da mesa só ficou sentado ali, sorrindo. Tinha os olhos azuis mais penetrantes que já vi. Já que os olhos da minha Amada Maria não são azuis, acho que não tem nada de mais dizer isso. Em determinado momento, fizemos contato visual sem querer, e senti que ele estava olhando direto para minha alma. Foi ao mesmo tempo cativante e desconfortável, e fiz uma anotação mental para fazer uma pesquisa sobre lentes de contato coloridas se algum dia eu quisesse causar esse efeito nas pessoas.

Por fim, a banda precisou subir no palco, e nos despedimos. Alguém escoltou a mim e ao cara de olhos azuis por um corredor e nos mostrou como poderíamos entrar no local por uma porta lateral. Tentamos ser discretos ao nos sentarmos, e ninguém se importou quando entrei no recinto. Mas quando as pessoas viram o rapaz com quem entrei, elas começaram a se cutucar e apontar para ele. Fiquei um pouco envergonhado por estar tão por fora, mas tentei agir normalmente. Afundei-me no meu assento o mais rápido possível.

Até meu vizinho de assento me contar, eu não sabia que o rapaz de olhos azuis era Jim Caviezel, o ator mais conhecido por seu papel como o Messias em *A Paixão de Cristo*. Ri com meus botões, percebendo que estivera em uma sala com Jesus por quase uma hora sem sequer me dar conta. Talvez você se identifique.

Mesmo que essa seja uma história bonitinha, provavelmente você já sabe aonde quero chegar com ela. Quantas vezes não conseguimos perceber que Jesus estava na sala conosco? Vivemos boa parte da vida desatentos, à deriva em nosso caminho até Deus, sem perceber que Ele já está ao nosso lado e esteve lá por muito tempo. A distração rouba nossa atenção, e viver assim rouba nossa alegria. Isso, é claro, não é surpresa para Jesus; Ele sabia o que aconteceria conosco porque viu acontecer com as pessoas ao Seu redor. Alguns de Seus amigos sabiam quem Ele era. Mas, quando questionados, fingiram não saber. Isso não enganava ninguém, inclusive o galo na vizinhança. Outros passavam por Jesus nas ruas sem sequer saber que Ele era.[3]

Pense nisso por um instante. Esse padrão teve início quando Jesus era jovem e cercado pelos religiosos em uma sinagoga. "Quem é esse garoto? Por que fala com tamanha autoridade?", perguntavam-se eles.[4] Isso se repetiu em um casamento, rodeado por amigos e familiares, que Lhe pediram para resolver um problema que Ele não causou.[5] Aconteceu em um crucifixo, ladeado por dois criminosos, e voltou a acontecer perto de uma tumba, quando Maria o confundiu com um jardineiro. Mesmo Seus amigos próximos não O reconheceram no dia seguinte em uma praia, ou um pouco mais tarde, na estrada para Emaús.[6]

Jesus não queria ser um mistério. Ele não tentou esconder Sua identidade na época e não faz isso hoje. Aposto que Ele sabe que aqueles que estão distraídos, temerosos, confusos ou obcecados com outras coisas simplesmente não O notariam na sala. Pessoas como você e como eu ainda não O notam, o tempo todo. Não obstante, Ele prometeu que aqueles que realmente O procuram O encontrarão; aqueles que Lhe suplicam receberão aquilo de que realmente necessitam, e encontrarão alegria e propósito na vida.

Jesus nos deixou pontos de referência claros sobre Sua localização. Encontrar Jesus não é como seguir um conjunto de pistas de caça ao tesouro; em vez disso, Ele colocou um pino em um mapa com Sua localização exata. Jesus nos disse que, onde houvesse pessoas com sede ou com fome, Ele estaria lá. Onde quer que houvesse doentes, alienados, nus ou presos. Ele não nos pediu que Lhe fizéssemos algo concreto estendendo a mão para os aflitos; Ele prometeu que, na verdade, *O* encontraríamos quando tentássemos atender às suas necessidades. Ele disse que estaria presente com as viúvas e os órfãos. Onde quer que duas ou mais pessoas se reunissem em Seu nome, Ele também estaria lá.[7]

Provavelmente, seu problema é o mesmo que eu tenho o tempo todo. Ficamos tão distraídos com as coisas acontecendo *ao nosso redor*, que negligenciamos o que Deus pode estar fazendo *dentro* de nós. Consertar isso é fácil e difícil ao mesmo tempo. Precisamos unir os pontos do que ouvimos falar *sobre* nossa fé ao que realmente estamos fazendo *com* a nossa fé. Essa confusão não se origina necessariamente de um lugar ruim, e me pego misturando tudo o tempo todo. Eis o motivo: em algum lugar pelo caminho, provavelmente nos distraímos com todas as coisas que competem por nossa atenção.

Precisamos nos realinhar, refinar e reconectar com os maiores propósitos de nossa vida, em vez de ficarmos distraídos com os menores. Precisamos girar a cabeça em busca de oportunidades bem à frente, em vez de nos fixarmos nas que estão atrás de nós. Você saberá que essa estratégia está funcionando quando começar a notar as necessidades das pessoas ao seu redor e usar a margem de sua vida para satisfazer algumas delas. Pare de vivenciar isso como um exercício acadêmico; torne-o pessoal. Não se trata apenas de reunir uma quantidade maior de informações ou pensar em um novo programa para sua comunidade de fiéis; trata-se de desenvolver uma consciência maior do que já está acontecendo ao nosso redor e encarar isso com muita alegria e antecipação.

**EM MÉDIA, UMA PESSOA VIVE CERCA DE 27.375 DIAS.**[8] Menos se você come doce e um pouco mais se come brócolis. A maneira como passamos os dias pode gerar ramificações incríveis no mundo, para o bem e para o mal. Não passemos uma quantidade absurda deles com distrações que nos roubam a alegria.

Vinte e sete mil dias parece um número grande para algumas pessoas e pequeno para sujeitos como eu, para quem já se passaram 23 mil. Não sei onde você se enquadra nessa linha do tempo, mas gostaria que considerasse o seguinte: até que ponto você realmente valoriza e preza seu tempo? Você considera cada dia uma preciosa contribuição para seu futuro ou se contenta meramente em perambular sem objetivo ao longo das semanas? Você se contenta em tentar não balançar o barco, o que acontece quando corremos riscos, ou está disposto a construir laterais um pouco mais altas na embarcação para que a água não entre nele quando fizer isso? Você tem um destino claro e pontos de referência definidos? Se não tiver, a hora é agora. É muito fácil cair na armadilha da procrastinação, substituindo a intenção e o foco pela distração e apatia. Lembre-se disto: na vida, nos tornaremos aquilo que fazemos com nosso amor.

Quantos dias você ainda tem? Faça as contas. Quem você decidirá ser e o que decidirá fazer com o tempo que lhe resta? Podemos passar os dias que ainda temos focados em coisas significativas, belas, alegres e cheias de propósito, ou navegar a esmo e jogar fora nossa vida louca e preciosa. Um dos maravilhosos presentes de Deus é que a escolha é nossa. Podemos nos ocupar agora mesmo, aplicando nossa energia em coisas importantes.

Mais uma boa notícia: há uma maneira infalível de deixar tudo isso claro. Encontre Jesus onde quer que esteja. Use-O como ponto de partida e de chegada. Depois, encontre alguns pontos de referência no meio em que possa confiar. Pare de exaurir seus dias esperando que Deus apareça; Ele já está em sua sala. Você pode parar de dizer a si mesmo que está O esperando, pois Ele provavelmente já está esperando por você.

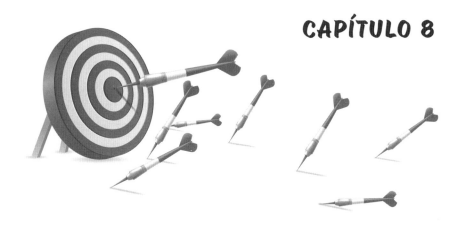

# CAPÍTULO 8

## NADA DE STALKEAR, POR FAVOR

*Se aprendemos a verdade sem agir com base nela, transformamos um salvador em um mero professor.*

Escrevi alguns livros que as pessoas leram e (assim espero) dos quais gostaram. Desfrutei da oportunidade de escrever histórias e ouvir como elas ajudaram as pessoas. Também aproveito pequenos trechos de ideias e os coloco nas mídias sociais. Minha sensação é a de uma conversa em grupo, em que ligo o botão de inicialização e observo os outros a transforarem em algo melhor. Tudo isso tem sido incrível, na maioria das vezes.

Minha Amada Maria e eu levamos uma vida bem tranquila, apesar do tanto que eu mexo os braços e me empolgo, então foi muito bizarro quando as pessoas rastrearam meu endereço com base na descrição de minha casa que faço nos livros. Certa manhã, acordei cedo e desci as escadas para ligar a cafeteira. Havia um cara sentado do outro lado da janela, na varanda de trás. Abri a porta dos fundos e perguntei: "Oi. Quem é você?" Sempre podemos dizer quando alguém é um stalker porque a primeira coisa que ele diz é: "Não sou um stalker." *Todas as evidências afirmam o contrário*, pensei. Outra vez, cheguei tarde em casa do aeroporto, coloquei minha camisa azul favorita e um moletom e fui até a sala de estar, onde minha Amada Maria estava lendo. Quando eu estava de pé à janela, meu telefone tocou, e uma mulher disse: "Que camisa azul bonita você está usando." Com um telefonema desses, podia ser até a Betty White me ligando e, ainda assim, ela soaria como uma serial killer. Não respondi nada, só baixei a persiana e desliguei, nervoso. Ela estava no nosso gramado, olhando para a janela.

Esse tipo de coisa também acontece quando estou fora de casa. Certa vez, eu estava no último voo de volta para San Diego. Eu já havia atravessado o país algumas vezes naquela semana, e uma regra pessoal minha é sempre tentar voltar para a minha Amada Maria à noite, sempre que possível. Quando minha agenda de palestras fica lotada, posso ir a Atlanta e voltar em um dia, e fazer alguma variação dessa viagem quatro dias por semana. Como viajante frequente, tenho *muitas* milhas. Então, nesse voo em particular, após uma longa semana, me acomodei no meu lugar e fechei os olhos. Assim que soltei um suspiro profundo, senti alguma coisa no meu colo. *Talvez um colega de assento esteja colocando a bolsa no meu colo antes de erguê-la até os compartimentos na parte de cima.* Sei que isso seria meio estranho, mas decidi deixar para lá e transmitir uma calma serena e despreocupada. Na verdade, o que tentei transmitir foi: *Estou dormindo, então tire suas coisas do meu colo, por favor.* Então comecei a ouvir sons de teclado, como se alguém estivesse digitando em um computador.

Quando abri os olhos, vi que um cara havia aberto o laptop bem no meu colo. Irônico, creio eu. Enfim, ele disse que havia me reconhecido de uma palestra que dei em sua igreja. Evidentemente, ele realmente gostou dos meus livros e achou que não teria problema contatar a namorada pelo FaceTime para participar desse evento especial que ele estava organizando no meu colo. Eu era o convidado especial, exceto que nunca fui convidado ou aceitei o convite.

Fica a dica: não faça isso.

Tá bom, a última. Recebi uma mensagem no Twitter de um rapaz do Texas que ouviu falar que eu estaria de passagem por Dallas dali a duas semanas. Ele queria me conhecer. Agradeci o convite, mas lhe disse que meu avião aterrissaria em Dallas Love Field e que, por isso, não conseguiria encontrá-lo. Nunca mais tive notícias dele.

Duas semanas depois, estava a caminho de Dallas. Por acaso, meu amigo John, que eu não via havia anos, também estava de passagem por lá, fazendo algum tipo de viagem transnacional que havia começado em sua cidade natal, próximo a Washington, D.C. Para conseguir ver meu amigo, perguntei se ele me daria uma carona até o hotel quando eu pousasse em Dallas. Nossos horários se alinharam com perfeição, e ele disse que me pegaria às 22h em um Suburban.

Tudo funcionou feito um relógio suíço. Pousei, fui até a esteira rolante e saí do terminal às 22h. Às 22h01, John estacionou o Suburban e me gritou: "Bob!" Atravessei algumas faixas de trânsito e olhei pela janela do passageiro. Honestamente, John não tinha a aparência de que eu me lembrava, mas haviam se passado vários anos, e pensei que ele poderia ter mudado de dieta ou algo do tipo. Ainda assim, não sou bobo nem nada, então lhe fiz a pergunta de um milhão de dólares: "Como foi a viagem de D.C.?" Sem perder o rebolado, ele respondeu: "Foi de boa. Só levou alguns dias." Então entrei no carro e partimos.

Estávamos a cerca de 8km do aeroporto quando recebi uma mensagem de texto no celular. Ela dizia: "Bob, estou no aeroporto. Cadê você?" Li-a duas vezes, quando caiu minha ficha de que eu não estava no carro com John. Virei-me para o cara atrás do volante, meus olhos esbugalhados, e balbuciei: "Você não é o John, é?" Tentei parecer confiante, mas acho que minha voz falhou um pouco. "Não, não sou", respondeu ele, devagar, com um olhar estranhamente vidrado. *Caramba.*

Então me lembrei de minha breve conversa no Twitter de algumas semanas antes. Era o Cara do Twitter! E ele tinha um Suburban! Quais eram as chances? "Sou o cara que te mandou mensagem", prosseguiu ele, enquanto eu procurava a maçaneta da porta, perguntando a mim mesmo se estávamos indo rápido demais para eu sair rolando pela calçada em segurança. "É claro que é", foi tudo o que consegui dizer com um sorriso amarelo.

Fiz com que ele parasse o carro para eu poder pegar minha outra carona. Ao sair, perguntei a ele: "Por que você disse que veio dirigindo até aqui de D.C.?" Ele pareceu surpreso e respondeu: "Eu me mudei de D.C. para cá faz três anos." Foi tudo muito bizarro, e descobri um pouco mais a seu respeito. Segura essa: o cara era músico formado em Juilliard e queria ensinar nossos alunos do norte da Uganda a tocar. Ele achou que deveria me conhecer primeiro. Então o Cara do Twitter foi até o aeroporto e começou a circular, esperando que eu saísse. Ele não quis parecer bizarro; ele simplesmente *era* bizarro. Talvez tivesse apenas passado tempo demais com suas partituras em um quarto escuro sem janelas. Quem sabe?

**TODAS AS PESSOAS QUE DESCREVI AQUI ME DISTRAÍ**-ram de certa maneira. Não foi intencional, mas elas o fizeram mesmo assim. Talvez não haja ninguém espiando pela janela de sua sala de estar, mas aposto que existem pessoas em sua vida que julgam ter direito ao seu tempo, sua energia, suas ideias, seus trabalhos, suas informações e tudo o mais. Elas lhe mandam mensagens, telefonam, falam pelo Vox, pelo TikTok e o bombardeiam de mensagens via direct até você responder. Elas acham que a persistência é uma virtude, quando, na verdade, o que realmente estão fazendo é irritá-lo e não ter "semancol". Elas veem sua vida através das próprias lentes, e não da sua. Acho que, em certo nível, todos nós fazemos isso. Se esse pessoal se tornou uma distração para você ou está acabando com sua alegria, você tem minha permissão para não retornar o contato nem responder o e-mail. Isso pode parecer estranho e um pouco rude, mas não é. Você está definindo limites para si mesmo. Está se lembrando de que uma longa linha de distrações pode se tornar uma vida de visões incompletas. Lembre-se do que Salomão disse: "Acima de tudo, vigia teu coração, pois tudo o que fazes vem dele."[1] Eles descobrirão outra maneira de se conectar com outras pessoas disponíveis.

Se você sente que há muitas batidas não solicitadas na sua porta, talvez precise refletir sobre os tipos de sinais que está dando e de limites que está definindo (ou não, como talvez seja o caso). Você precisa fazer isso com cuidado, porque definir limites não é um caso de tudo ou nada. Pense desta forma: limites são bons; barreiras, não. Se você constrói uma parede, certifique-se de instalar uma ou duas portas. Se quiser um fosso, não se esqueça da ponte levadiça. Por quê? Porque, se você impedir *todo e qualquer* acesso, mesmo quando inconveniente ou não desejado, se encontrará muito mais do que sozinho. Em vez disso, você ficará isolado. Às vezes você precisa de pontos de entrada fortuitos e encontros acidentais para encontrar o destino e a providência que deixa sua bela vida em foco.

Você é pastor de uma igreja grande e, ainda assim, afastado de todos? Como assim? Não precisamos enxertar uma cultura empresarial e de celebridades em nossas comunidades religiosas, mas você pode ir até a porta da frente e distribuir uns biscoitinhos. Ainda que seu sermão seja chato, as pessoas sentirão o amor de Deus expresso por meio dos atos de bondade proposital e acessibilidade. Dê abertura às pessoas ou arrume outro emprego. Sei que seu tempo é importante, mas tente ser maravilhosamente ineficiente amando as pessoas ao seu redor. Se você compôs uma música, escreveu um livro ou apareceu em filmes, não se torne indisponível para as pessoas. Encontre a maneira certa de permitir que poucas pessoas atravessem o fosso, ao mesmo tempo em que protege a quantidade de privacidade que seu coração, não seu ego, diz que você precisa. Não deixe que sua condição de astro do rock se torne uma distração para você ou para as pessoas que o admiram. Você está a apenas um ato generoso de distância de se tornar uma versão melhor de si mesmo.

**ACHO EXTREMAMENTE IMPORTANTE CHEGAR A UM** equilíbrio em nossos relacionamentos. Também precisamos de certo equilíbrio quando se trata de nosso relacionamento com Jesus.

Você tem stalkeado Jesus? Tem memorizado versículos e aprendido a localização de cada história bíblica? Sabe todos os nomes e genealogias bíblicas? É capaz de recitar para uma multidão o que Jesus disse e depois orientar um desconhecido pela "Estrada Romana"? Passou tanto tempo na igreja que se esqueceu de como se comunicar com o borracheiro a ponto de só fazer se perdesse uma aposta?

Stalkear Jesus significa ter um monte de conhecimento sem uma quantidade igual de ação. (Talvez aqui você esteja pensando no livro de Tiago.) Em certo ponto de minha vida de fé, eu percebi que *sabia* muitas coisas sobre Jesus, mas, na verdade, não tinha *feito* nada com ele. Era como um professor que ensina uma turma, mas que não pratica o que diz. Conhecia os versículos sobre os pobres, as viúvas e os órfãos. Só que nunca havia feito nada para ser como Jesus em relação a eles. Acho que você dirá que doar dinheiro ou dar o dízimo me deixou mais uns centímetros perto dele, mas não sei onde a Bíblia afirma que estamos isentos de nos envolvermos nessas necessidades porque atiramos umas moedas para os pobres. Não me leve a mal; precisamos ser mordomos de nossos recursos, investindo-os naquilo com que Deus se importa. Porém, dar dinheiro não é o mesmo que servir; cada um desses atos pode ser de devoção se bem executado, mudando seu coração de maneiras diferentes. O que quero dizer é que precisamos de ambos. Temos de passar mais tempo fazendo as coisas que Jesus nos disse para fazer do que simplesmente falar sobre elas. Trocando em miúdos, precisamos parar de stalkear Jesus.

Às vezes me fazem a seguinte pergunta: "Por onde devo começar?" Minha resposta: não importa. Aqui, ali, na rua, embaixo da ponte, em Singapura, em pistas de patinação ou em um balão. Pessoas que levam uma vida cheia de propósito e alegria agem primeiro e perguntam depois. Elas sabem que elaborar um plano de mestre pode ser só mais uma distração disfarçada. Elas percebem que, quando terminam o planejamento e o levantamento de fundos, poderiam ter simplesmente dado início ao projeto.

Se precisa de um empurrãozinho, talvez o melhor e primeiro passo seja descobrir algo em que você mais confia e pôr mãos à obra. Se você é cristão, seu objeto de confiança talvez seja o que encontra nos livros e cartas compilados na Bíblia — palavras que lhe darão um número ilimitado de ideias para levar uma vida mais alegre e com propósito. Se fé não é sua praia, encontre outra coisa na qual depositar confiança. Quem sabe? Talvez a resposta venha depois. Eu tenho um hábito matinal. Depois que preparo o café, tenho tempo para focar e refletir. Algumas comunidades de fiéis chamam a isso de "momento de quietude". A verdade é que não tenho um momento de quietude há vinte anos, pelo menos não da maneira como as pessoas o consideram. Faço algo similar, mas que, no meu caso, é um momento bem barulhento.

Utilizo o tempo para alinhar as coisas que acredito estarem corretas e, então, fazer uma busca na Bíblia para verificar se elas se alinham com o que dizem as Escrituras. Para mim, é um momento de solidão e para aproveitar a presença de Deus, não um compromisso que me sinto obrigado a cumprir.

Durante anos, lavei o carro da minha Amada Maria na parte da manhã. A prática me ajudava a espantar as distrações de minha vida atribulada. Fazia parte de meu momento de quietude. Eu pensava e refletia nas coisas que Jesus disse e descobria o que fazer com as coisas mais difíceis que Ele ordenou, como amar meus inimigos e ajudar os necessitados. Deixei de lado o ato de meramente concordar com Ele. Se houvesse algo em que de fato precisasse melhorar, eu ficava na garagem um pouco mais e lavava as rodas e aros do carro da minha Amada Maria. Por passar várias horas barulhentas com Jesus durante as manhãs, o carro da minha Amada Maria estava sempre impecável. Encontre algo que funcione para você. Quando parar de funcionar, encontre outra coisa. Deixarei meu carro na calçada se você precisar de trabalho.

Acredito que algumas pessoas em nossas comunidades religiosas têm momentos de quietude porque alguém disse a elas que deveriam ter. Se elas não reservam tempo para isso, se sentem culpadas. Deus nunca menciona momentos de quietude na Bíblia, e, francamente, não acho que Ele se importe se o temos ou não. O que acho que Ele quer é que passemos um tempo em Sua companhia sem distrações, o tempo todo. Se a manhã é seu período de leitura e reflexão, maravilha. Se não, encontre outro momento. Sempre que isso acontecer, torne-o tão barulhento ou tão quieto quanto precisar para seguir em frente. Se as tradições, estruturas e práticas que sua comunidade religiosa criou não o ajudam a cercar sua vida com Jesus, descarte-as e crie algo melhor para si. Eu não gostaria que alguém passasse um tempo comigo porque se sentiria culpado caso não o fizesse. Também não acredito que Deus queira isso. Aposto que Ele preferiria estar conosco andando de roda gigante, de skate ou tocando violoncelo a que nos sentássemos com Ele como se estivéssemos de castigo.

Como parte de minhas reflexões diárias, anoto meus pensamentos uma frase de cada vez e, então, as envio para mim mesmo por e-mail. Recebo mais de cem e-mails por dia desse tal de Bob. Estou pensando em bloqueá-lo. Na manhã seguinte, reviso esses pensamentos para ver se apenas soam adequados ou se são de fato verdadeiros. Faça esse tipo de classificação e reclassificação em sua vida o mais depressa possível. Você compreenderá melhor a si mesmo e a sua fé se o fizer. Já enviei a mim mesmo coisas lindas por e-mail e coisas que apontavam para as verdades nas Escrituras. Algumas viraram posts nas minhas redes sociais. Outras coisas que anoto parecem certas, mas acabam não se enquadrando com as Escrituras, e você nunca mais me verá repeti-las.

O motivo pelo que leio as Escrituras de manhã é que quero receber um pouco mais de verdade para me ajudar a combater as distrações em minha vida. Nunca sei o que o dia me reserva. Ninguém sabe. Meu período de manhã me ajuda a delinear antecipadamente meu dia com verdade, perspectiva e amor. É como colocar cabides vazios no armário para que, quando a vida me proporcionar circunstâncias inesperadas, eu tenha um lugar onde pendurá-las. Prefiro dar uma boa olhada nelas mais tarde a deixar uma pilha no chão.

É engraçado como conseguimos farejar um stalker com facilidade. Tem algo neles que faz nosso radar disparar. O negócio é o seguinte: talvez Deus esteja nos olhando da mesma maneira, dizendo: "Olha o sujo falando do mal-lavado." Ele está nos convidando para uma aventura enquanto estamos satisfeitos sentados na biblioteca. Ele está demonstrando como dá acesso total a alguém tão falível quanto eu e me pedindo para fazer o mesmo no mundo real. Nunca amaremos as pessoas 100%, mas podemos tentar fazer isso de forma exaustiva, persistente e honrada. Se você estiver disposto a viver na tensão de construir limites saudáveis para proteger sua alegria e seu propósito enquanto permite a entrada de poucas pessoas, aqui estão algumas dicas que extraí pelo caminho das histórias que lhe contei.

Primeiro, ouvir uma pessoa chamar seu nome nem sempre significa que Deus enviou alguém no seu caminho. Certas pessoas são apenas distrações para você. Não me passou despercebido que o Cara do Twitter tenha chamado meu nome, mas não era a pessoa que eu planejava ver. Às vezes confundimos conversas aleatórias com sinais divinos, e diretivas divinas com sugestões questionáveis. Jesus disse que a ovelha reconhece a voz do pastor. Quanto mais experiências nós temos e quanto mais compreendemos o que as Escrituras dizem, mais facilmente podemos distinguir a voz de Jesus daquela de um cara em um Suburban.

Segundo, a mera chance de fazermos algo não significa que Deus tem isso em mente para nós. Todo mundo quer fazer o que Deus deseja que façam. Não conheci muitas pessoas que discordassem dessa parte. O problema é quando as pessoas descrevem o "plano" de Deus como um mapa secreto escondido no Seu bolso traseiro e que Ele não nos deixa ver. Ou então identificam algum acontecimento aleatório, como um galho caindo, como um sinal de cima, o que, em certo sentido, até que é. Ele poderia se comunicar conosco dessa maneira? É claro. Poderia bater em você com a árvore inteira se quisesse chamar sua atenção. Mas também poderia escrever algo e entregar isso a você, e foi justamente o que Ele o fez — se você reservar um tempo para ler o que já está em Suas cartas de amor para nós.

Terceiro, nem todo mundo que bate à nossa porta é, necessariamente, Jesus. Muitas pessoas dirão que acham que Deus lhes disse para dizer a você que fizesse algo, e tudo bem, suponho. Mas a melhor maneira de ter certeza de que é Jesus quem está falando é ler o que Ele já disse. Em geral, as ordens de Deus não são confusas. Na verdade, só temos duas coisas para decidir. Primeiro, como essas coisas que Deus disse se aplicam a mim? Segundo, estou disposto a fazê-las?

Ser stalkeado é uma distração bastante óbvia e que acaba com a alegria. Tenha cuidado e bom senso em relação às pessoas que você deixa entrar e seja sincero. Stalkear Jesus é um pouco mais difícil de identificar porque *parece* que estamos fazendo as coisas certas quando, na verdade, estamos fazendo pouco ou nada. Não deixe stalkers distraírem você enquanto eles resolvem a própria vida — e não deixe de cuidar de suas coisas e entrar em um relacionamento de verdade com Jesus.

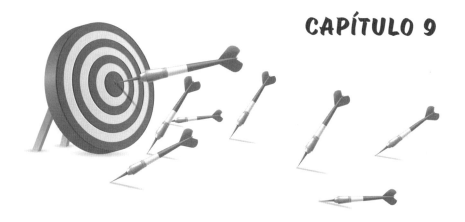

# CAPÍTULO 9

## FADAS DO DENTE E AVIÕES QUE ENCOLHEM

> A dúvida é um convite poderoso
> quando você acredita que Deus
> é grande o bastante para
> permitir sua falta de fé.

V ários anos atrás, houve um episódio de *This American Life* na RPN que me chamou a atenção.[1] O episódio todo é dedicado a mal-entendidos infantis que se tornam crenças reais. Eu lhe mostrarei alguns exemplos do programa.

Havia uma garotinha de uns 4 anos no aeroporto. Ela já havia visto aviões em terra, mas esse era seu primeiro voo. Já embarcada, a garotinha se virou para seu vizinho de assento e perguntou: "Quando vamos encolher?" Perceba que, em sua mente e da perspectiva de alguém que está no solo, ela sempre via aviões como brinquedinhos flutuantes minúsculos. Na verdade, foi bem corajoso da parte dela entrar em um avião pensando que encolheria quando chegasse ao céu.

Outra garota, Rebecca, lembrou-se de uma amiga de infância que perdeu um dente. Essa amiga de Rebecca fingia dormir quando o pai dela entrou, pegou o dente e pôs uns trocados embaixo do travesseiro. No dia seguinte, a amiga disse a Rebecca: "Eu sei quem é a fada do dente."

"Jura? Quem?", perguntou Rebecca, espantada.

"É meu pai", contou a amiga.

Rebecca mal podia acreditar. Eis o que ela relatou no episódio: "Eu me lembro de correr para casa depois da escola e dizer à minha mãe: 'Mãe, eu sei quem é a fada do dente!' [...] E [a mãe] perguntou: 'É mesmo? Quem é a fada do dente?' E eu respondi: 'É o pai da Rachel! Ronnie Loberfeld é a fada do dente!' E ela falou: 'Não acredito que você sabe. É segredo de estado. Você não pode deixar ninguém mais saber. Mas você está certa, Ronnie é a fada do dente'."

Histórias fofinhas como essas nos fazem rir. Mas adivinhe por quanto tempo uma das crianças acreditou que aviões encolhiam e a outra achou que Ronnie Loberfeld era a fada do dente? Anos e anos. Você e eu acreditávamos em muitas coisas. Algumas são verdadeiras, e outras não, e leva uma vida toda para descobrir a qual categoria cada uma delas pertence.

Nem todas nossas crenças são fatos, e nem todos os fatos atingem o nível de crenças. Às vezes nossas crenças são rumores pegajosos que parecem verdade, mas que são totalmente falsos. Na maioria das vezes, isso não nos causará muitos danos. Mas quando o assunto é nossa fé, falsas crenças podem se tornar distrações com poder para nos roubar uma vida de clareza e propósito. Às vezes precisamos descobrir a verdade sobre aquilo em que acreditamos, o que significa que muitas das explicações e suposições bonitinhas com as quais nos familiarizamos talvez devam ser revisitadas.

Tome como exemplo uma de suas primeiras crenças. Pode escolher. Espelhos quebrados? Gatos pretos? Papai Noel? Paraíso? Se tivemos coragem de examinar essas crenças pelo microscópio, poderemos encontrar motivações errôneas para o motivo de as aceitarmos com tanta prontidão. Talvez quiséssemos guardar alguns pensamentos felizes no bolso. Ou talvez desejássemos a aceitação de um grupo ou remover o desconforto da incerteza. Essas crenças adotadas pareciam portos seguros em certo momento, mas agora elas nos causam uma sensação de prisão. Talvez não desejemos perturbar a situação com perguntas, então acabamos deixando de melhorar a vida procurando por respostas de verdade. A parte mais louca: essa estratégia de evitar funciona, ou, ao menos, parece funcionar.

Um sem-número de pessoas montou um clube de gente com ideias afins que se comportam de certa maneira, em vez de encontrar, compreender e acreditar no que é verdade. Essa é uma das distrações mais grandiosas e reconfortantes da vida. Se não tomarmos cuidado, podemos trocar o que poderia ter sido uma vida significativa, alegre, com propósito e totalmente engajada para nos encaixarmos, sermos aceitos ou sentirmos que fazemos parte da turma. Minha pergunta é: se sua fé é importante para você, sua busca é uma expressão genuína dela ou é simplesmente a entrada em um clube? Se quisermos uma vida com propósito, precisamos decidir *por conta própria* no que realmente acreditamos. Temos que deixar para trás as suposições que fizemos sobre no que devemos acreditar, bem como os fatos que ignoramos e os equívocos que pegamos de outras pessoas só para pertencer a algum lugar. Uma das belezas perenes da mensagem que Jesus veio pessoalmente transmitir pode ser resumida nessas palavras: *você faz parte.*

Pode ser uma guinada assustadora, entendo. Mas você acreditaria que os aviões encolhem? Existe uma verdade mais bonita. Seja honesto e autêntico enquanto faz esse importante trabalho para si mesmo. Lembre-se: Jesus nunca teve problema com pessoas que duvidavam. Na verdade, ele castigou as pessoas que fingiam certeza absoluta pelo aumento de poder e prestígio que achavam que seu conhecimento lhes concederia. Aqui, serei vulnerável e darei um exemplo de minha vida.

Acredito, do fundo do coração, que o paraíso existe. Meus instintos também me dizem que a Bíblia é a verdade, mas às vezes me pergunto por que cheguei a essa conclusão. É uma esperança ditada pela minha crença de que a Bíblia é a verdade e de como Jesus falou dela com segurança. Mas essa crença não é ditada pela minha experiência. Embora eu tenha ouvido histórias de pessoas fazendo a viagem de ida e volta para lá, não fui para o céu e não conheço ninguém que foi e voltou. Não sei você, mas eu simplesmente não estou preparado para ouvir ou ler algo e aceitar sem distinção. Sei que Deus não está bravo comigo por ser quem sou, mas isso causa dúvidas. A única maneira de resolver essa dúvida é se eu morrer de fato, e essa é uma troca que, no momento, não está na minha lista de tarefas.

Agora alguns de vocês podem estar se contorcendo na cadeira com esse tipo de discussão, sobretudo se acham que pessoas que escrevem livros, ficam em púlpitos ou se sentam em bancos de igreja já deveriam ter tudo resolvido. Se esse é o seu caso, pode lhe fazer algum bem, e sem dúvida seria bom para as pessoas ao seu redor, se você conseguisse relaxar. Se você foi criado em uma comunidade religiosa que balança a cabeça e aponta com o dedo para esse tipo de discussão honesta, peço o seguinte, com todo o amor e respeito de que sou capaz: tente recuar um pouco, pode ser? Arrume um cachorrinho, se precisar. Não precisamos desse tipo de distração em nossas comunidades religiosas e em nossa vida. Precisamos é de um conjunto de crenças totalmente verificado e honesto, nascido de conversas seguras e honestas e informado por uma leitura atenta das Escrituras. A dúvida, se bem elaborada, pode gerar clareza e propósito imensos. Tente não distrair outras pessoas com um convite para se juntar ao seu clube quando elas estiverem buscando genuinamente a verdade, que pode ser conquistada com muito esforço, mas tem uma vida útil muito maior. Leve todos seus questionamentos para Jesus. Ele dá conta.

Um homem foi até Jesus e, em um momento de autenticidade e clareza brutais, disse: "Eu acredito; me ajude a superar minha incredulidade."[2] Como é que é? Acredito e não acredito ao mesmo tempo? Como assim? É simples. Todos nós temos dúvidas. Algumas pessoas fazem o corajoso trabalho de compreender a própria fé, e outras ignoram ou adiam o questionamento. Se certas dúvidas sobre sua fé não saem de sua cabeça, não finja e aja como se tivesse certeza. Por favor, não fique confuso dando de ombros e se afastando dos pensamentos e perguntas. Em vez disso, caia na real em relação às dúvidas e perguntas que você tem. Pare de fingir que não tem nenhuma; prefira levá-las a Jesus e pedir a ajuda Dele para respondê-las. Isso exigirá mais do que um pouco de tempo, introspecção e honestidade, mas dará a Deus coisas autênticas que pertencem a você com as quais Ele poderá trabalhar — talvez pela primeira vez.

A fé é simples, mas não é fácil. A Bíblia descreve a fé como "confiança no que esperamos e convicção em relação ao que não vemos".[3] Eu gosto dessa descrição. Precisamos fazer mais do que apenas decidir em que consiste nossa fé. Precisamos descobrir o que de fato ela é. Darei um exemplo.

Quando meus filhos estavam no ensino médio, eu esperava que um dia eles se formariam. Alguns dias, parecia que havia 50% de chance de isso acontecer, já que eles estavam interessados em muitas coisas, mas a escola nem sempre era uma delas. Mesmo assim, eu ainda tinha esperanças. Eu também não via muita lição de casa sendo feita. Segundo eles, ninguém tinha passado nenhum dever de casa — em todos os quatro anos de ensino médio. *Mesmo?* Isso me parecia suspeito. Ainda assim, mantive a fé. Baseando-me na Bíblia, eu tinha confiança no que esperava (a graduação) e convicção em relação ao que não via (dever de casa). Você pode fazer o mesmo.

O que você espera? Está impaciente para algo chegar ou acontecer? Eu também. O que você ainda não viu? É um emprego? Descanso? Um relacionamento? Um socorro financeiro providencial? Consegue confiar que isso pode acontecer logo, mesmo que ainda não tenha acontecido? Isso era o que Jesus afirmava ser a verdadeira fé. Não é ter todas as respostas, embora algumas pessoas gostariam que você acreditasse que a fé é uma confiança inabalável em seu conhecimento. Em vez disso, fé é ter coragem para fazer as perguntas sobre suas crenças, sabendo que o amor de Deus é grande e paciente o bastante para nos embalar em nossa incredulidade.

**FÉ TAMBÉM É TER CORAGEM PARA FAZER ALGO A RES**-peito daquilo em que você afirma acreditar.

Vários anos atrás, houve um dia incrivelmente quente, bastante incomum na região onde moro, em San Diego. Ondas de calor se erguiam da calçada, e não havia ninguém nas ruas. Era possível sentir a letargia tomando conta da cidade por causa do calor opressivo. Era como se fôssemos um cachorrão dormindo na sombra com a língua de fora, tentando se refrescar. Para aplacar o calor, chamei meu filho Adam para ver se ele queria se juntar a mim e dar uns mergulhos no mar. Carregamos o barco e saímos da baía sentido oeste. É em momentos assim que eu gostaria de ter um tridente, um chapéu de espadachim ou, pelo menos, uma espada e uma bandeira de pirata. Adoro sair para o alto-mar com o vento no rosto e a proa do barco cortando o marulho.

Quando já estávamos bem longe no mar, desligamos o motor. Adam e eu nos entreolhamos e pulamos na água feito balas de canhão. No instante em que atingimos o refrescante Pacífico, o exato frescor de que precisávamos nos engoliu. Mergulhamos fundo, jogamos água um no outro e procuramos peixes, baleias e sereias através da água turva. Adam nadou de volta para o barco, e fiquei um pouco mais na água fresca, boiando com os olhos fechados e permitindo me perder na beleza simples do momento. Quando olhei para cima, notei que o vento estava empurrando o barco para longe de mim mais depressa do que eu conseguia nadar de volta até ele. Foi como se eu tivesse passado a fazer parte do filme *Náufrago*, só que eu era a bola de vôlei, Wilson.

Se você já esteve em uma situação como essa, a sensação é um pouco assustadora — entretanto, todos já experienciamos alguma versão dessa emoção. Talvez não envolva um barco se afastando de você, mas um relacionamento, uma esperança, uma oportunidade de negócios ou um sonho. É verdade que eu tinha Adam comigo, portanto, sabia que não estava sozinho ao tentar voltar para o barco. Mas a situação me deu uma sensação de medo, isolamento e urgência, e me lembrou do famoso momento da Bíblia em que Jesus convidou Pedro para sair do barco e se juntar a Ele nas ondas.[4]

Jesus havia acabado de alimentar milhares de pessoas materializando algo do nada.[5] Um pouco mais tarde, os discípulos se afastaram da praia no barco, indo na frente de Jesus. Do outro lado do mar, entram as grandes ondas e o vento. Talvez os discípulos estivessem tão assustados quanto eu quando não consegui voltar ao barco. Eles já haviam enfrentado uma tempestade com Jesus, durante a qual pensaram que seu fim havia chegado.[6]

Deus nos sussurrará em nosso conforto e gritará em nossa dor.[7] Aparentemente do nada, Jesus apareceu — andando sobre as águas, reflitam — e deu a Pedro não apenas a chance de acreditar em sua fé, mas também de *mostrá-la* por meio de suas ações. Esse é um convite que recebemos todos os dias. Talvez você se lembre de como a história se passa. Pedro disparou contra o vento e as ondas: "Senhor, se és tu... dize-me para ir até ti nas águas." Não tenho certeza de quem Pedro achou que poderia ser. Seu senhorio? Um dos credores? Seu sogro? O cara da Domino's com uma pizza de falafel? Jesus não fez um grande discurso ou um sermão de três pontos. Apenas disse "Venha", e com essa única palavra, toda a água do mar da Galileia se deslocou para o lado de Pedro na banheira. Isso acontece com todos nós em algum momento e de várias maneiras diferentes. Deus não fica fazendo explicações de Sua posição; Seu estilo é nos oferecer convites simples que mudarão o curso de nossa vida se aceitarmos Suas ofertas. "Venha." Ele não quer que concordemos com Ele, e sim que façamos algo em relação às nossas crenças e envolvamos o mundo.

O resto da história, você conhece. Pedro saiu do barco e caminhou sobre as águas em direção a Jesus. Acho que Pedro estava um pouco mais do que hesitante quando seus pés pisaram na água. Imagine por um momento os diferentes ângulos de câmera. Pedro estava pedindo o RG a Jesus quando disse "se és tu". Aposto que Jesus viu um cara cauteloso e curioso. No barco, os amigos de Pedro viram um cara fazendo o impossível. Posso imaginar os peixes surtando e se acotovelando com as barbatanas diante do espetáculo que se desenrolava acima deles.

Quando corremos um risco grande com nossa fé, as distrações parecem mais prontas do que nunca para nos atrapalhar. Foi o que aconteceu com Pedro. Ele não encontrou um ponto sensível na água que o fez afundar; ele se distraiu com o vento e com as ondas, e isso abriu um buraco grande o bastante para afundar sua jornada em direção a Jesus. Minha pergunta é: o que está distraindo você? É seu trabalho? Metade dos meus amigos tem medo de perder o emprego, e a outra metade, de continuar nele. É um relacionamento difícil? Talvez algo do passado que lhe dê vergonha ou alguma coisa do futuro de que você tenha medo. Não se culpe por essas coisas e não as ignore. Lide com elas.

Na primeira vez que Pedro chamou Jesus do barco, ele Lhe pediu que provasse Sua identidade. Na segunda vez em que gritou, Pedro já havia visto a prova, mas percebeu, ao afundar, que precisava de uma batelada de ajuda. Se você tem dúvidas em sua fé, não está tudo bem; está tudo ótimo. Eu também tenho. Não recue. Vá em frente. Assuma o risco e saia do barco. Mas não se esqueça de chamar por Jesus se começar a afundar.

Comecei um novo esporte há alguns anos. É muito generoso chamar o que eu estava praticando de wakeboarding. Com uma prancha de wakeboard presa aos meus pés, o que mais faço é cair e me arrastar. Da costa, provavelmente mais se parecia com uma pesca de peixes grandes tendo a mim como uma isca velha e sardenta. Ao me aproximar do barco após outra tentativa fracassada de me levantar, estendi a mão a um amigo que caminhara até a parte de trás do barco para me ajudar a sair da água, me puxando. Estendi a mão, na intenção de agarrar a dele, como em um aperto de mãos. Em vez disso, meu amigo me agarrou pelo punho e me lembrou de que é assim que Deus nos segura. Suas tranquilizadoras palavras foram: "Bob, mesmo que você solte, eu não soltarei. Te peguei."

Voltando à história de Pedro. Tem uma coisa que o texto não destaca, mas que acho importante: como foi que Pedro voltou para o barco? Não deixe essa passar. Muitas vezes, Deus faz tanta coisa quando falhamos quanto faz a caminho de onde estão nossas aspirações. Naquela noite, Pedro não andou sobre as águas uma vez; ele andou duas vezes. Depois que ele afundou, Jesus não lhe jogou uma boia nem o fez nadar até o barco. Em vez disso, estendeu a mão e o puxou. Aposto qualquer coisa que Jesus o agarrou pelo punho e disse: "Te peguei, e não te soltarei mesmo que tu o faças."

Deus ainda está no ramo de nos resgatar das ondas. Quando Pedro teve dúvidas, Jesus foi até ele, e não para longe dele. Faça o mesmo e vá até Jesus. Eis o porquê: Jesus colaborou com Pedro; Ele não o envergonhou. A única pergunta de Jesus faz sentido para mim. Ele perguntou: "Por que duvidas?" Pedro havia presenciado o milagre de milhares se alimentando naquele mesmo dia. Tinha visto pessoas sendo curadas e até ressuscitadas dentre os mortos. É tentador pensar que teríamos agido melhor. Mas será que teríamos? Estamos agindo?

Naquela noite, Pedro expressou sua fé de duas maneiras diferentes. A primeira foi uma tentativa de se juntar a Jesus na água. Eu me identifico com a sensação de fazer uma pergunta incerta, e espero que você encontre a coragem para fazer a Jesus algumas perguntas próprias. A segunda foi uma confissão ainda mais corajosa de Pedro: a de que ele estava afundando e precisava ser salvo. E, nesse momento, vemos os dois lados da moeda da fé: ação e dúvida. Quando você acredita em algo com tamanha intensidade, está disposto a assumir o risco; e quando duvida de algo tão genuinamente, está disposto a gritar por socorro. Faça essas coisas e estará no caminho certo. Dizer que temos fé sem um pingo de dúvida ignora nossa humanidade e diminui o valor de nossa fé, em vez de aprofundá-la.

Nem pense que Deus considera uma falha sua tentativa honesta de se juntar a Ele com alguma incerteza. Ele fica em êxtase com qualquer movimento que você faz em Sua direção e está pronto para lhe agarrar pelo punho na esperança de que você agarre o Dele no instante em que duvidar do milagre que Ele opera em sua vida. Mesmo que você O solte, Ele não o soltará.

**UM DOS MOMENTOS MAIS DIFÍCEIS DE DEMONSTRAR** fé inabalável e sem distrações é quando um ente querido está sofrendo. Perdi muitas pessoas próximas para a doença. Talvez você tenha entrado na fila daqueles que perderam alguém na flor da vida. Nos últimos anos, parece que a perda é mais pronunciada e central do que em qualquer outro momento de que me recordo. É de partir o coração, mas aqui vai minha pergunta: como a fé reage à perda? Com dúvidas, surras e acusações? Com luto prolongado e amargura? Deus certamente permite essas reações quando nossa fé é testada pela perda. Mas também acredito que a perda, assim como a dúvida, é um convite para dar passos corajosos em direção a Jesus. Seja como for que você vivencie contratempos ou tristeza, faça-o com intenção.

Tenho um amigo chamado Bill que recebeu um difícil diagnóstico de câncer. Bill e sua esposa, Laurie, haviam marcado uma consulta para ver os tratamentos e o regime que Bill seguiria nos meses seguintes para tentar combater a doença. Voei até Houston para ficar com meus amigos quando o dia da consulta chegou.

Jesus tinha um irmão chamado Tiago, que, na época, escreveu uma carta a jovens seguidores. Ele falou sobre como ajudar as pessoas quando elas ficavam doentes, dizendo que deveriam colocar óleo na cabeça dos amigos enfermos.[8] Não sei como foi sua criação e como você expressou sua fé, se é que a expressou, mas esse lance de unção com óleo estava fora de minha experiência. Parecia ridículo, místico ou, no mínimo, confuso, mas, enquanto voava para o Texas, perguntava com meus botões por que isso ainda não se aplicaria.

No Velho Testamento, colocava-se óleo na cabeça de alguém para separar essa pessoa ou prepará-la para algo grandioso. Faziam isso com reis e outras pessoas importantes prestes a fazer coisas corajosas. Tiago não disse o que aconteceria se ungíssemos alguém com óleo, e acho que é esse o ponto. Obedecer ao que Deus nos convida a fazer antes mesmo de entendermos é um ato de fé que Ele honra. Quando digo a Deus que quero tudo explicado antes de obedecer, isso faz a fé parecer uma negociação — e ela não é isso.

Quando aterrissei, decidi arrumar um pouco de óleo para a cabeça de Bill. Eu não tinha lá tanta certeza sobre qual era o óleo certo. De oliva extravirgem? De castor? De coco ou vegetal? Descartei o lubrificante e o petróleo bruto porque não pareciam se encaixar, ainda que estivéssemos no Texas. Imaginei que poderia encontrar um mercado a caminho do hospital. Infelizmente, descobri que não havia nenhum no meu trajeto, e eu estava com pressa. Mas saca só: *tinha* um Burger King. Entrei, expliquei meu dilema para o cara da chapa e lhe pedi uma xícara de óleo usado da fritadeira.

Naquela tarde, fiz várias cabeças se virarem enquanto caminhava pelos corredores do MD Anderson com meu copo cheio de óleo. Eu parecia um cara com pressa carregando a própria amostra de urina. Quando encontrei Bill e Laurie, eles estavam esperando mais testes. Oramos juntos para que eles tivessem coragem, clareza e foco sem distrações para travar essa batalha, e que os médicos tivessem sabedoria extra para saber o que fazer a seguir. Quando acabamos, mergulhei o dedo no óleo e toquei a testa de Bill. Tenho certeza de que ele foi o único cara naquela tarde que entrou na máquina de ressonância magnética cheirando a batatas fritas. Bill e Laurie são faróis de coragem e alegria, e Jesus e eu descobrimos por quê. Eles levam uma vida sem distrações.

Um diagnóstico como o de Bill pode colocar em foco a vida de uma pessoa. Quando se pensa nisso, todos temos um encontro com a própria mortalidade; só não sabemos quando morreremos. Se conseguirmos entender essa inevitabilidade, as coisas que antes nos distraíam não poderão mais nos controlar. A fé que antes parecia inabalável talvez precise encontrar um novo fundamento. Isso não é somente compreensível. É sensato.

Todos os dias temos a oportunidade de abrir, com coragem, espaço para nossas dúvidas e abraçar Deus em meio a elas. Podemos sair e arriscar mostrar nossa fé — e gritar por socorro quando falharmos. A alternativa é continuar distraído e com medo. A pior coisa que podemos fazer é nos ater a nossas crenças e suposições familiares, mas antiquadas, dizendo que são verdade. Se o fizermos, quando mais precisarmos delas, as crenças vacilantes e falsas nos farão procurar fadas do dente e aviões encolhendo. A fé ousada deve funcionar no mundo real, mas requer que, primeiro, você e eu nos tornemos reais em nossa fé. Estenda a mão se estiver necessitado. Não tente apertar as mãos de Jesus como se estivesse fechando um negócio; deixe que Ele o agarre pelo punho.

# CAPÍTULO 10

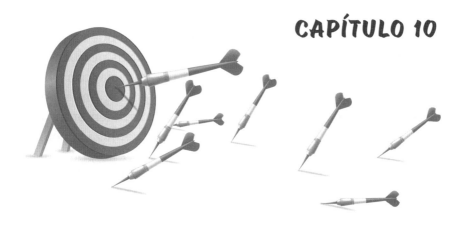

## CONSIDERE-SE UMA ESTRELA

*A disponibilidade pode lançar mais sonhos do que você imagina.*

Quando eu estava na faculdade, escrevi uma carta a um músico popular do Texas chamado Keith Green. Alguns dias depois, recebi uma resposta dele. Provavelmente qualquer outra pessoa consideraria isso algo pequeno, mas para mim não era. Abri a carta, que continha apenas três frases manuscritas. Nem me lembro das palavras, mas isso não importa. Três frases simples de uma pessoa que eu admirava me diziam que eu era importante. Elas fizeram com que eu me sentisse valorizado e que era digno do tempo dele. Senti-me apreciado.

Todos nós queremos as mesmas coisas na vida: amor, aceitação e conexão. Eu não estava tentando monopolizar o tempo de Keith Green, e não era importante de acordo com nenhum parâmetro deste mundo. Eu sabia quem ele era, mas certamente ele nunca ouvira falar de mim. Acho que sei o que aconteceu. Aposto que ele recebeu minha carta e presumiu que eu era um jovem sedento pelas mesmas coisas que todas as pessoas querem. Ele não me deu o que tinha de sobra, ou seja, conselhos; ele me deu o que tinha de menos: seu tempo. Foi um copo de água gelada em um dia quente, minha primeira lembrança de sentir gratidão profunda pela dádiva de ser reconhecido por um estranho. Ele não recusou seu amor como se tivesse pouco dele; ele o deu livremente, como se fosse feito disso. Ele me mostrou que, quando se trata de atos generosos de amor altruísta, somos rios, não reservatórios.

Alguns anos depois, Keith Green faleceu em um trágico acidente de avião, mas os poucos momentos intencionais de vida que ele me ofereceu fizeram brotar um padrão que mudou minha forma de me conectar com as pessoas que me procuram. A gratidão não é apenas um sentimento que guardamos como se fosse um troféu empoeirado obtido no ensino médio; é uma resposta que passamos adiante, como uma brisa. Cada um de nós é um conduíte de amor. Não precisamos soltar mil fogos de artifício para expressar gratidão; às vezes, basta acender uma única vela. Temos capacidade para moldar e transformar uns aos outros por meio dos mais simples atos de bondade e atenção. O motivo é simples: Deus não nos manda mensagens; Ele nos dá outras pessoas. Às vezes, três frases simples bastam para mudar toda a trajetória de sua vida e a de outros.

**QUANDO SE TRATA DE DISPONIBILIDADE, HÁ TRÊS FOR**mas principais de criá-la: com nosso tempo, nosso talento e nosso tesouro. O tempo e o talento se autodefinem, e às vezes são mais fáceis de entender do que de oferecer. "Tesouro" é nosso dinheiro, e acho que vale a pena nos atermos a isso por um momento se vamos levar vidas sem distrações e cheias de alegria.

Quando escrevi meu primeiro livro *O Amor Faz*, ele começou como um sonho de registrar certas experiências de vida e transmiti-las a meus filhos. Então, meus amigos Don e Bryan se disponibilizaram para mim, e a obra se tornou best-seller do *New York Times*. Eles contribuíram com seu tempo e talento para tornar o livro digno de ser lido, e meus filhos prometeram que o leriam se eu o escrevesse — então imaginei que todo aquele tempo gasto tentando corrigir erros de grafia valeria a pena.

Decidimos usar o dinheiro obtido com a venda do livro para construir escolas e casas seguras na Somália, no Iraque, em Uganda, na República Democrática do Congo, no Afeganistão e em outros países onde guerras civis persistentes roubaram das crianças oportunidades de aprender e crescer em ambientes seguros e protegidos. Depois que meus amigos se colocaram à disposição para mim, algumas pessoas abriram mão do próprio tesouro para comprar o livro. Isso abriu caminho para quase uma centena de construções se transformarem em escolas pelo mundo, criando oportunidades para milhares de crianças aprenderem todos os anos. Um pouquinho de disponibilidade de amigos bondosos gerou *tudo isso*. Se chegou a comprar meu livro, *você* também teve parte nisso. Você criou uma comunidade doadora para servir a comunidades necessitadas. *Urrul*, toca aqui!

Quando coloquei meu número de celular na última página desse livro, assim como em qualquer outro que escrevi, todo mundo achou que eu era louco. Fiz isso porque, trinta anos atrás, um homem atencioso teve tempo para me escrever três frases. Recebo mais de cem ligações por semana, e não deixo as pessoas caírem na caixa postal quando posso atender. Sempre que atendo ao telefone e digo alô, é como se eu dissesse à pessoa do outro lado da linha que ela é importante, valorizada e digna do meu tempo. É assim que sei que estou levando uma vida sem distrações: quando estou alegre, abundante e irracionalmente disponível para as pessoas ao meu redor. Tenho certeza de que, para quase todo mundo, eu pareço incrivelmente distraído quando digo alô a estranhos pelo telefone, mas nada poderia estar mais distante da verdade. O que, de longe, pode parecer distração, na verdade é um propósito claro, focado e alegre. Atendo ligações no elevador (sobretudo para quebrar o silêncio desconfortável). Atendo ligações na sala de audiências. Já atendi ligações no palco enquanto falava a milhares de pessoas, na fila do DMV,* na Disneylândia, no mercado, escalando o monte Kilimanjaro e em praticamente qualquer outro lugar que você possa imaginar. Exceto no banheiro. Desculpe se era você telefonando, mas não atenderei. Simples assim. Há certas coisas que não podemos "desescutar".

Meu propósito continua sendo permanecer 100% disponível para as pessoas. Mas, por favor, me ouça: sua vida *não* precisa ser assim se essa não for sua natureza. Já lhe disse que até eu tenho limites nesse departamento. Como afirmei, estamos destinados a ser *um*, não *o mesmo*. Sua vida sem distrações e com propósitos incríveis pode exigir que você atire o celular no mar para fazer as coisas que está destinado a fazer. Se esse é o caso e você tiver que se desfazer do celular, me dê o seu, porque o meu já está velho, detonado e quebrado. Pense nisso da seguinte maneira: livrar-se de uma grande distração tem tudo a ver com estar disponível em outros lugares, certo?

Talvez sua praia seja se livrar da distração para que possa acionar sua disponibilidade e presença com coisas muito mais importantes que a Netflix. Nenhum de nós sabe quando nosso tempo acabará, mas acho que sei como serão meus últimos minutos. Acredito que esse momento estará repleto de gratidão pelas pessoas a quem dediquei tempo e que dedicaram tempo a mim. Em grande parte, é por isso que quero me colocar à disposição dos outros. É por isso que escrevo livros, atendo ligações e

---

\* Department of Motor Vehicles, empresa que fornece informações sobre veículos motorizados e cotações sobre seguros de automóveis. (N. do T.)

vou à Ilha Tom Sawyer na Disneylândia às quartas-feiras. Talvez você esteja se perguntando: *para que ficar disponível, afinal?* Bem, porque, para começar, Jesus ficava. Estar disponível não nos transforma em Jesus, só nos deixa um pouquinho mais parecidos com Ele, e estou disposto a fazer qualquer coisa que me aproxime mais Dele. Se estar disponível não é para você, não se sinta mal. Se isso não é sua praia, ame e acolha essa sua característica. Só não reclame que os outros não o procuram. Talvez essa também seja a natureza deles.

Fazer coisas importantes não significa fazer apenas coisas fáceis. Sem dúvida, algumas ideias deste livro serão difíceis de colocar em prática. Entendo. Para mim também é difícil pôr mãos à obra. De qualquer modo, tente, ainda que seja complicado. Quando Jesus estava no jardim de Getsêmani, Ele disse duas frases: "Se possível, que este cálice seja tirado de mim. Não conforme a minha vontade, mas conforme a Tua".[1] Ele não tentou controlar o resultado, ainda que soubesse que isso seria doloroso. Mais tarde, quando Jesus estava na cruz, Ele disse "Está terminado", enquanto morria e destruía a morte.[2] Nesse momento, Ele criou para nós um caminho do amor; Ele nos disponibilizou Deus por meio de Seu sacrifício e de sua presença. Ele fez coisas difíceis na vida — e também a mais difícil que Alguém poderia fazer — e espera que também façamos. Todo seu propósito se resumia em três frases.

**O NORTE DE UGANDA É ONDE MORA O POVO ACHOLI, E** é o epicentro da mais recente guerra civil do país. Como na maioria das guerras civis, todos no território nacional saem perdendo. Provavelmente, os Acholi perdem mais. Das vidas que a guerra civil não tirou, o vírus do HIV levou muitas. Mais de 1,7 milhão de pessoas foram desalojadas, e, quando cheguei lá, mil indivíduos morriam por semana em acampamentos improvisados. Como resultado dessa avalanche de tragédias, a idade média no país inteiro foi reduzida a somente 15 anos.

Inauguramos uma escola na região com maior número de rapto de crianças. A maioria das primeiras crianças que recebemos na escola havia sido soldados ou ficado órfã por causa da guerra civil ou devido a doenças. Todas precisavam de novas famílias. Portanto, dividimos as centenas de crianças em grupos familiares, e cada família era liderada por um dos professores.

Nos primeiros anos, nossa escola funcionou em pequenos imóveis alugados. Mas, como ela cresceu depressa, encontramos um terreno de 20 hectares em um lugar remoto na selva do norte de Uganda e o compramos. Para quem vinha daqueles pequenos alojamentos, sentíamos como se tivéssemos acabado de adquirir o Texas. Como o país não tinha infraestrutura legalizada para garantir título de propriedade para terrenos, formamos um conselho de terras em nossa região e começamos a conceder direito de propriedade. O nosso foi o primeiro.

Cavamos poços, construímos estradas, varremos o terreno em busca de munições não detonadas e começamos a construir uma escola para as crianças. Estivemos ocupados desde então. Atualmente, há 60 prédios, 5 poços, 30 professores, sala de computadores, laboratórios de física e química, um campo de futebol regulamentado e mais de 1.600 alunos, que comparecem todos os dias. A maioria mora no *campus*, nos dormitórios que nós — inclusive você — construímos. A República de Uganda tem apenas duas pistas olímpicas. Uma delas é nossa. Também somos as pessoas que mais pagam impostos em toda a região — um título que não fico muito animado de reivindicar. Acho que o que eu estou lhe dizendo é que *nós — você, eu e outras pessoas — construímos uma cidade juntos*. Tudo o que precisamos é de uma agência dos correios e um corpo de bombeiros. Consulte-me daqui um ano, e aposto que teremos essas coisas também.

Tenho muitas histórias da escola para contar, mas uma que me fez parar para pensar é sobre um aluno chamado Obomo. Ele tinha 12 anos quando nos conhecemos. Seus pais foram tirados de sua cabana por rebeldes do Exército de Resistência do Senhor e queimados vivos na frente dele. Sei que é difícil ler isso, mas isso realmente aconteceu com Obomo. Seus parentes não tinham recursos para sustentá-lo ou lhe dar educação. Quando ouvi a história de Obomo, soube exatamente o que dizer: "Você está dentro." Dei-lhe um abraço apertado, apertei sua mão de garoto e o apresentei à sua nova família na escola.

Ele chegou até nós perdido, assustado e sem esperanças. No início, sentiu que não se encaixava. Estava traumatizado, mas resiliente; tentava entender sua vida de jovem e o mundo ao redor. Com o passar do tempo, Obomo se aprimorou nos estudos e nos relacionamentos escolares. Começou a assumir mais papéis de liderança, sendo uma alegria para os professores e um incentivo para os colegas. Mesmo em uma escola cheia de gente brilhante, ele se destacava. Essa trajetória ascendente durou todos os anos em que ele esteve conosco.

A formatura do ensino médio se aproximava, e os alunos estavam explodindo de empolgação. Não haviam apenas sobrevivido a uma guerra, como tinham se saído muito bem nos estudos. Eu estava na secretaria imprimindo diplomas que continham uma imitação da insígnia de Harvard. Eu sei, eu sei. Podem me processar. Um de meus momentos favoritos na história da escola foi pendurar a medalha de melhor aluno da turma no pescoço de Obomo. Você tem alguma dúvida de que ele abrirá portas a outras pessoas estando disponível para elas? É claro que não tem. Eu também não. Isso é o que a disponibilidade faz; ela nos lembra do nosso propósito e leva outras pessoas até seus próprios propósitos também. Disponibilidade gera oportunidade; oportunidade inspira mais disponibilidade; e o ciclo continua e gera propósitos maiores.

**NO NORTE DE UGANDA, O CÉU NOTURNO É CHEIO DE** estrelas. Se você mora em uma cidade grande, uma cidade pequena, um subúrbio ou próximo a casas ou com muita iluminação artificial, talvez não consiga visualizar totalmente o que quero dizer. Em vastas extensões da selva africana, a poluição luminosa é quase nula. O céu noturno fica crivado de fagulhas cintilantes em todo o seu esplendor. Milhares e milhares e milhares de fragmentos de luz viajando por extensões que não conseguimos conceber. Você pode ver um braço em espiral na Via Láctea se estendendo além do horizonte, e cada estrela cadente que risca o céu é um lembrete de quem Deus é e de quem não somos.

Uganda não é o tipo de lugar que teria um programa espacial. Porém, desde que nossos alunos eram crianças, eles olhavam para o céu com uma espécie de admiração que a vastidão desperta em cada um de nós. A NASA parou de pilotar ônibus espaciais, e a maior parte de seu financiamento também foi cortada há vários anos. Quando eu soube disso, liguei para eles e lhes perguntei se tinham peças de reposição que poderiam enviar à nossa escola em Gulu. Uma cápsula espacial? Um foguete auxiliar sobressalente? Realmente, qualquer coisa seria bom. Imaginei dar às pessoas orientações sobre como chegar à nossa escola e lhes dizer para "virarem depois do primeiro foguete". Uganda nunca havia lançado nada no espaço. Olhei para a câmera GoPro na minha escrivaninha e comecei a me perguntar: *e se nossos alunos fossem os primeiros?*

Como a NASA estava basicamente de portas fechadas, decidimos fundar o primeiro programa espacial de Gulu. Nós o chamamos de GASA. Eu sabia que todo estudante de ensino médio adoraria, independentemente de onde morasse. Encontrei alguns tanques de hélio em Mombasa, no Quênia, e os enviei para Gulu. Isso me custou mais que quatro girafas. Chamamos um astronauta da NASA, o proprietário de uma companhia aérea e outras pessoas para nos ajudarem com o esquema, e começamos a trabalhar.

Alguns meses depois, viajamos para Gulu. Lá, meu filho Rich colocou uma câmera GoPro embrulhada em aquecedores de mão em uma caixa de isopor. Depois, começamos a encher um balão meteorológico de hélio. Ele inflou e alcançou o tamanho de 5 metros de largura por 6 metros de altura. Os alunos fizeram a contagem regressiva e o soltaram. Mil pares de olhos observaram enquanto ele se erguia pelos ares. Os alunos nomearam sua própria chefe de controle de voo. Quando o balão saiu do chão, ela gritou: "Decolamos! Olhe aonde ele vai! Onde será que vai pousar?" Mais três frases.

Crianças que chegaram a portar rifles agora torciam, gritavam e se abraçavam, todas elas agora faziam parte do primeiro lançamento espacial de Uganda. Elas tinham uma nova família — um futuro brilhante — e podiam voar tão alto quanto a imaginação permitisse. Mas o lançamento não foi apenas uma metáfora; ainda tínhamos uma escola para gerenciar e aulas para dar. Com ajuda de um amigo que entendia de meteorologia, as crianças calcularam como os ventos influenciariam a trajetória do balão, predizendo posteriormente, nos seus cálculos das aulas de física, onde o balão pousaria.

Rich colocara um GPS na caixa de gelo para que pudéssemos monitorar o balão depois do lançamento. A cada três minutos, recebíamos um novo sinal. Os alunos rastrearam o balão enquanto ele flutuava para o sul sobre o país e subia a mais de 30km. Ele adentrou a orla espacial, e, no instante em que atingiu essa elevação, ficou ainda maior à medida que a atmosfera se fez rarefeita. É como quando enchemos bastante um balão de água, mas continuamos enchendo, sabendo que estourará a qualquer segundo. Esse momento foi assim, mas com menos trajes de banho. E, então, aconteceu. O vácuo do espaço estourou o balão, e os restos começaram a descer para a terra. Rich também amarrara um paraquedas à caixa de isopor, e as crianças se amontoaram em torno do computador enquanto rastreávamos o progresso de volta para Uganda, o volume seguindo o trajeto até onde os alunos previram que ele pousaria.

De repente, o vento mudou. Os alunos corriam para calcular novas trajetórias, agitando os braços. Líderes de equipe gritavam do outro lado da sala. Havia uma quantidade tremenda de energia e foco, enquanto aqueles jovens avaliavam a tarefa que tinham à frente. Foi maravilhoso. Eu me senti como se estivesse em Houston durante o Apollo 13, mas não havia telefone vermelho para dizer "temos um problema". Os garotos descobriram a nova trajetória, e, no fim das contas, a carga decidiu se deslocar mais de 160km a oeste. A nova zona de pouso que triangulamos estava em um país diferente, na República Democrática do Congo (DRC). Deu ruim.

Assim que o pacote tocou o solo, pudemos ver, a partir de uma imagem de satélite, exatamente onde o GPS havia localizado a câmera. Havia 6 pequenas cabanas feitas de grama a 100 metros de distância, e presumimos que a caixa havia caído em um campo ou estava presa nas copas das árvores. A cada três minutos, continuávamos a receber uma nova alteração em nossa caixa de isopor. Mas, depois de uma hora, algo mudou. Agora o GPS indicava que a caixa estava dentro de uma das cabanas. Alguns minutos depois, estava em outra cabana. Depois de uma hora, ele já havia entrado em todas as cabanas. Só posso imaginar o que se passava pela cabeça dos aldeões enquanto carregavam de cabana em cabana a câmera que viajara pelo espaço. Tipo um filme.

Um dos seguranças da escola se chama Cosmos. Não estou brincando. Estou é decepcionado por meus pais terem escolhido o nome Bob para mim. Cosmos vem de um vilarejo da RDC perto de onde a caixa pousou. Então o enviamos para cruzar a fronteira e ver se conseguia recuperá-la. Algumas horas depois, Cosmos ligou para nos informar que descobrira o lugar exato onde a caixa e a câmera GoPro estavam.

A próxima ligação que recebemos foi dos militares da RDC. Cosmos havia sido preso como espião. Caramba! Os militares viram a caixa, a câmera e o paraquedas e ficaram compreensivelmente irritados. De uma hora para outra, a missão tinha se desviado de uma forma tão horrível quanto o paraquedas. Então, ligamos para uns amigos de Uganda, que ligaram para alguns generais de Uganda, que ligaram para alguns generais da RDC, e Cosmos foi solto na mesma noite. Pense em um mal-entendido. Recuperamos a câmera, mas eles levaram o pendrive para que não conseguíssemos repetir a descida da orla espacial. Fiz uma requisição para recuperá-lo, mas o governo ainda não a atendeu.

A questão é a seguinte: nem tudo saiu exatamente como planejamos, mas quem se importa, não é? Algumas coisas darão certo para você, e outras não. Simples assim. Deus não fica marcando pontos, e você também não deveria. Quando somos tentados a Lhe trazer apenas os sucessos, Deus nos lembra de que Ele gosta de nossas tentativas mesmo quando elas falham. As crianças ainda falam sobre a missão espacial. Isso é o que um pouco de disponibilidade e muito hélio são capazes de fazer. "Decolamos! Olhe aonde ele vai! Onde será que vai pousar?" Qual será seu próximo movimento corajoso?

**DESDE QUE SE FORMOU EM NOSSA ESCOLA NO NORTE** de Uganda, Obomo se inscreveu três vezes na faculdade de direito e foi recusado em todas elas. Ele era um dos primeiros alunos de nossa escola, mas existem poucas faculdades de direito em Uganda, e a disputa pelas poucas vagas disponíveis é acirrada. A primeira vez que ele me disse que queria ser advogado foi ao chegar à nossa escola, mais de uma década antes. Ele conhecera a injustiça em primeira mão e queria ser parte da solução para seu país. Essa paixão por ser advogado nunca o deixou, e conversamos a respeito muitas vezes ao longo de seus anos no ensino médio e fundamental. Brincávamos sobre abrir juntos um escritório de advogados chamado "Obomo & Bob". Um nome bem chamativo, pensei.

Após se formar, seu sonho de se tornar advogado parecia próximo e distante. Ele me ligou logo depois de ter sido rejeitado pela primeira vez na faculdade de direito. Eu lhe disse para ir se sentar no banco do reitor até o deixarem entrar. Ele achou que eu estava brincando, mas era uma tática que usava em minha própria vida. Portanto, tinha certeza de que ela aumentaria as chances dele. (Se você leu *O Amor Faz*, sabe do que estou falando.)

Obomo me ligou da segunda vez em que ele foi recusado, e eu lhe disse para voltar e se sentar de novo no banco do reitor.

"Desta vez", expliquei-lhe, "não saia até que o deixem entrar". Aposto que ele achou que eu ainda estava brincando. Mas, em vez de pensar em sua rejeição injusta e na natureza íngreme da montanha que subia, ele insistiu. Ele entrou de novo, encontrou o reitor e voltou a repetir por que queria ser admitido. Falou sobre a perda dos pais e a descoberta da escola. Falou sobre sua dedicação e comprometimento com as aulas. Contou-lhe seu sonho de trazer mais justiça a Uganda.

Depois, Obomo perguntou ao reitor se ele já havia feito um lançamento espacial. Diante da resposta negativa, Obomo lhe disse que, se ele o ajudasse a se tornar advogado, isso seria considerado um lançamento ainda maior do que o realizado por ele e seus colegas. O reitor fez uma longa pausa, mexeu em alguns papéis em sua mesa, olhou para cima e disse a Obomo: "Você está dentro." Não foi a primeira vez que Obomo ouviu essas palavras.

O que foi que distraiu você? Que grande ambição está tentando lançar que parece presa no cimento? Sei que é difícil; a maior parte da vida é difícil. Volte para ela. Continue mostrando a si mesmo e às pessoas quem sairá ganhando se você não desistir. Provavelmente, você está a apenas algumas frases da próxima grande aventura. Encontre pessoas que estejam disponíveis para você. Seja o tipo de pessoa que está disponível para os demais, e volte a mirar as estrelas com admiração e estupefação, além de determinação incansável e sem distrações. Comece a contagem regressiva. Os anjos no céu estão se coçando para observar sua vida e dizer: "Decolamos! Olhe por onde vai! Onde você pousará?"

# CAPÍTULO 11

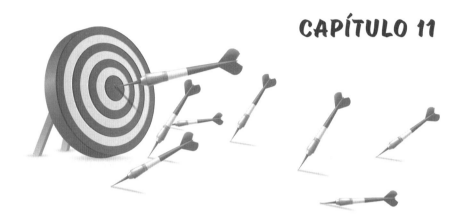

## "CESSAR-FOGO!"

*Nossas palavras podem se transformar em armas ou curar feridas. Escolha com sabedoria.*

Nossa casa em San Diego dá para uma baía com marina. Muitas vezes, nos sentamos na varanda dos fundos e observamos o lento tráfego de barcos entrando e saindo do porto. Há botes e barcaças, esquifes e veleiros, praticantes de stand up paddle, e pessoas andando de jet ski e caiaque. Um dia, quando nossos filhos estavam no ensino médio, eles chegaram em casa e comentaram que haviam recebido como tarefa escrever um artigo sobre qualquer assunto que quisessem. Era um daqueles dias quase perfeitos, em que o mundo inteiro parecia ter matado aula e saído para brincar lá fora. Havia gente correndo nas calçadas, cachorros apanhando frisbees, pessoas cochilando sobre cobertores após um piquenique e embarcações chegando e partindo. Pela janela de trás, nossos filhos contemplavam o mundo ao qual queriam se juntar e olhavam desanimados para as páginas em branco que deviam ser preenchidas com boas histórias.

Após um lanche e alguns resmungos abafados sobre a lição de casa, todos subiram as escadas até o próprio quarto. Cada um tinha uma escrivaninha diante da janela que dava para — você adivinhou — a água. Depois de uma hora, entrei no quarto deles para ver como estavam as coisas. Eles pareciam estar em um transe, sonhando acordados e olhando pela janela, sem progresso algum nos deveres. Pouco tempo depois que entrei, começou a surgir alguma coisa na água, fazendo a curva para o norte. Era um veleiro de velas quadradas das antigas, do tipo que a marinha britânica tinha no século XVII. Tinha canhões e um monte de velas, de vários tamanhos. Peguei meus binóculos para ver se também havia uma prancha e se fariam alguém andar sobre ela.

Pelo fato de eu ter visto meus filhos olhando pela janela naquele exato instante, percebi que eles também estavam vendo aquilo. Não é todo dia que um desses navios piratas chega à baía, e eu sabia que os garotos estavam em busca de uma distração. Então, ficou melhor ainda. Após alguns minutos, *outro* navio alto apareceu, tão grande e imponente e com tantas velas e canhões quanto o primeiro.

Ambos os navios começaram a fazer manobras e círculos na água, como uma dança, fazendo amplos arcos e cortando o vento. Era possível ver a espuma do mar batendo nas proas, enquanto os navios se inclinavam em suas curvas. Percebi o que estávamos testemunhando: dois navios altos prestes a usar seus canhões para encenar uma batalha naval.

Subi as escadas correndo e disse a meus filhos que encerrassem as tarefas. Eles saltaram tão alto das cadeiras, que elas deviam estar com molas. A tarde havia ficado muito mais interessante, e minha esperança era a de que, se entrássemos naquele rolo, os eventos do dia inspirariam o dever de casa que eles ainda tinham que fazer quando voltássemos. Rapidamente, fomos até a água e pulamos em nosso pequeno bote familiar para olhar a ação mais de perto. Pensamos em bolar planos para subir pelas cordas e assumir o comando como piratas fazem. Mas aí percebemos que não tínhamos nem corda nem mastros por onde subir. Além disso, a escada de alumínio encostada na lateral de nosso bote não tinha um charme lá muito fanfarrão.

Ao nos aproximarmos da batalha, percebemos que a melhor vista seria, na verdade, *entre* os navios. Haveria espaço suficiente para nosso pequeno bote, e achamos que poderíamos ajudar um dos navios a se render, se necessário, ou salvar alguém que caísse no mar. Os navios haviam acabado de fazer os arcos amplos e começaram a passar ao lado um do outro em uma linha paralela com cerca de 45 metros entre si. Virei o barco rumo ao centro da ação, e, assim que ficamos em posição, pequenas portas em ambos os navios se abriram e canhões rolaram para a frente. Então, tapamos os ouvidos, prevendo o que estava prestes a acontecer.

Sons ensurdecedores explodiram na água, enquanto nuvens acres de fumaça irrompiam de cada embarcação pelo casco. É claro que os navios não atiraram um no outro com balas de canhão de verdade, e sim com balas de festim que causavam uma grande explosão. Ao todo, os dois navios dispararam quase vinte tiros de canhão no espaço de poucos minutos, até não estarem mais em linha de visão para disparar. Ficamos balançando para a frente e para trás em uma nuvem de fumaça, todos ofegantes e aos gritos. Por fim, voltamos para casa, e meus filhos foram correndo para o andar de cima a fim de escrever os artigos com uma nova história em mente. Quase posso garantir que coloquei as mãos na cintura e estufei um pouco o peito por ganhar o que, imaginei, deveria ser o prêmio de pai divertido daquela tarde.

Os garotos conversaram durante dias sobre a brincadeira, e é por isso que foi incrivelmente bizarro quando mais tarde ouvimos falar de uma reportagem sobre uma batalha simulada em outro porto, onde um dos navios acidentalmente disparou *munições de verdade* de seus canhões. Não que eles tivessem balas de canhão; esses canhões modernos usavam cartuchos de espingarda calibre 12 modificados, para produzir o barulho da explosão. De algum modo, um dos navios da batalha simulada carregou munição real e modificada, tendo pego por engano as caixas erradas de munição. Não é preciso dizer que elas estragaram a tarde de alguns turistas. Alguns ficaram feridos, mas, por sorte, nada muito sério.

Recentemente, ao conversarmos com outras pessoas, parece que o mundo tem usado muita munição de verdade. Você percebeu? Não me lembro de uma época em que as palavras que escolhemos fossem mais mesquinhas e cheias de ofensas, mentiras e humilhações do atualmente. Não acho que as pessoas que tentam defender suas opiniões estejam sempre cientes do dano que causam ao coração dos outros ou à própria reputação, mas o fato é que elas *estão* causando dano. Quando se trata das palavras que usamos, não estamos dando tiros de festim, ainda que pensemos que sim. Na Bíblia, Jesus disse que nossas palavras transbordam aquilo de que nosso coração está cheio.[1] Concordo, e me pergunto se compreendemos que muitas das palavras que usamos se tornaram distrações para nós e para as pessoas ao nosso redor.

Tenho certeza de que você já ouviu este ditado: "Guardar rancor é como tomar veneno e esperar que a outra pessoa morra." Pegue qualquer emoção negativa que você esteja descarregando em outras pessoas, e acredito que a metáfora se aplicará da mesma forma e apropriadamente. Em geral, as palavras que usamos vêm diretamente do nosso coração, e essas palavras tendem a mostrar aos outros o que está acontecendo sob a superfície de nossa vida. As palavras que você usa revelam um coração cheio de graça, amor e aceitação ou desaprovação, condenação e raiva?

Pessoas não distraídas participam muito da primeira opção, e pouco ou nada da segunda. Suas palavras são um convite à dor ou à alegria?

Não me entenda mal. Ninguém acredita que a vida é sempre feita de unicórnios, narcisos e arco-íris. É a maneira como decidimos receber e reagir às partes difíceis de nossas circunstâncias que nos mostra do que nosso coração está cheio. Decidi me colocar na berlinda com minhas próprias palavras. Eu realmente queria saber o que havia em meu coração. Então, em um ano, decidi cobrar de mim mesmo US$500 por qualquer crítica que eu fizesse a alguém — não importa o quanto eu achasse que estava certo ou que as pessoas mereciam as críticas. Escolhi esse valor porque é o preço de uma passagem de avião para Mauí. Ter essa métrica me ajudou a decidir se eu preferia ir a Mauí ou dizer algo duro sobre alguém. Isso me lembrou de que nossas palavras podem custar nossos relacionamentos, muito mais do que a maioria de nós percebe. Tem sido útil fazer com que cada uma das minhas palavras ferinas e críticas me custem US$500. Hoje em dia, tento dizer apenas as palavras raivosas que estou autorizado a proferir, que não são muitas.

Depois de uma conferência em um certo lugar, uns caras me encurralaram. Tentei dar a volta, mas eles bloquearam meu caminho. Eles queriam me dizer como Deus não ama este ou aquele grupo de pessoas com base na conduta e estilo de vida delas. Eles estavam bastante animados enquanto me criticavam asperamente. Eu não estava no clima para longas discussões, e não havia muita coisa que gostaria de lhes dizer. Só queria chegar em casa para jantar com minha Amada Maria. Quando, de fato, tentava dizer algo, eles me interrompiam e ficavam ainda mais inflamados. Na quinta vez que me interromperam, tentei ir embora, mas eles me bloquearam. Infelizmente, não havia ninguém por perto para gritar "Cessar-fogo!", então acendi o fusível e mandei brasa, dizendo algo que não devia. Pensando bem, entendi a anatomia de Deus, mas não o espírito — e isso me custou várias passagens de avião para o Maui. Por quê? Simples.

Porque para mim passou a ser mais importante estar certo do que ser como Jesus. Fiz isso mais por mim do que por Ele.

Deixe-me dar um exemplo contrário. Na faculdade, eu frequentava leituras sobre a Bíblia na casa de um cara. Seu nome era Brad, e ele tinha algo entre a minha idade e a de meus pais. Ele queria ajudar graduandos como eu a achar o próprio caminho. Geralmente, eu chegava tarde para as leituras da Bíblia na casa de Brad porque, na época, o tempo era um conceito fluido para mim. Se isso frustrava Brad, ele nunca deixava transparecer. Ele simplesmente pedia para o grupo fazer uma pausa enquanto eu, a cada semana, entrava desajeitado na sala e tentava achar um lugar vago.

Certa semana, cheguei, por acaso, alguns minutos antes do início. Depois, Brad me puxou de lado e disse: "Bob, fico realmente agradecido por você chegar no horário." Ele não estava tentando confundir minha cabeça ou usar psicologia reversa comigo; ele queria me falar ao coração. Em retrospecto, agora percebo o que ele estava fazendo. Ele enxergava uma versão melhor de mim, e suas palavras fizeram com que ela se manifestasse. Não foram palavras de correção, foram palavras de afirmação. Isso já faz quarenta anos, e adivinhe: em geral, chego na hora aonde quer que eu vá. Sabe por quê? Porque fui rude com um homem bondoso chamado Brad que me disse, décadas atrás, que eu respeitava outras pessoas ao chegar no horário. Nossas palavras têm um poder imenso para destruir ou edificar. Escolha com sabedoria as suas. Não distraia os outros com termos negativos dispersos. Suas palavras bem escolhidas podem mudar as pessoas ao seu redor para algo melhor e mais belo.

**HÁ LUGARES NO MUNDO EM QUE DISPAROS REAIS SÃO** fatos cotidianos da vida — juntamente com a eliminação de pessoas cujas vozes precisam ser ouvidas. A organização que fundei chamada Love Does faz trabalhos em lugares como esses, pois queremos ajudar as pessoas a reencontrar sua esperança e voz após terem sido devastadas pela guerra ou silenciadas por causa de seu gênero ou de suas tradições culturais. Uma das maneiras pelas quais fazemos isso é abrindo escolas para jovens heróis e heroínas, inclusive escolas para meninas em países onde, em geral, elas não aprendem a ler.

Nos arredores de Mossul, no Iraque, o Estado Islâmico (EIIS) estava comprando e vendendo mulheres e crianças em gaiolas por US$20 cada uma. Ouvir o que estava acontecendo com o povo Yazidi enfureceu o mundo, e com razão. Há uma cidade perto da capital, Erbil, próximo à fronteira do Irã, e, com alguns novos amigos maravilhosos na região, abrimos uma escola e construímos moradias para as crianças Yazidi e suas famílias que foram desalojadas pelo EIIS. Eu estava lá quando a construção foi finalizada e recebemos nosso primeiro corpo discente. Eu me lembro de ir até uma sala de aula e dar uma medalha a uma menina Yazidi, prendendo-a em seu peito e dizendo: "Você é a esperança deste país." Naquele dia, me senti como Brad. Podemos, de fato, incutir esse tipo de coragem e destino sobre os outros, e a parte mais louca é que as pessoas com quem agimos assim se tornarão quem dizemos que elas são.

Tente. Se você é pai ou mãe, fale a seus filhos sobre a beleza e a esperança que seu coração deseja ouvir. Se você é irmão, irmã, amigo, padre, comissário de bordo ou funcionário de zoológico, encontre pessoas próximas e diga a elas palavras de verdade e beleza. Não se limite a concordar comigo. Faça isso por alguém hoje. Faça isso por um bombeiro, seu carteiro ou o atendente do posto de gasolina. Encontre a pessoa que serve a comida que você come, que a colheu ou ensacou no mercado e diga-lhe que ela é a esperança de Detroit, Memphis, Lodi ou qualquer lugar em que esteja. É provável que elas encontrem mais alegria e propósito no que fazem, e você também.

Deus não se importa com o lugar em que você está se você inunda a região com palavras de esperança, alegria e coragem; Ele se importa com quem você é. Isso não o torna salvador de ninguém, e sim um doador da verdade, alguém que pode perscrutar o coração das pessoas e invocar parte de seu propósito. Você não está bajulando as pessoas, dizendo-lhes que elas são criações magníficas; você as está vendo como Deus as vê. Consegue imaginar o que aconteceria se todos fizéssemos isso uns com os outros? O mundo não seria um lugar melhor? Não seríamos mais distraídos por todos os motivos e desculpas obscuras que achamos ter poder sobre nossas circunstâncias. Perceberíamos que nossa vida foi feita para ser vivida com imenso impacto e alegria.

Por causa do respeito que o governador local tinha pelas pessoas com quem trabalhávamos em Erbil, e da esperança que essas crianças de nossa escola tinham, fomos convidados a nos encontrar com ele. Ele é um ser humano assustadoramente corajoso e amplamente conhecido como o homem que disparou o primeiro tiro da Revolução Iraquiana. Não é legal? O que você dá para um cara desses? Um vaso? Um colete à prova de balas? Uma mola maluca? Eu não tinha certeza do que levar, então optei por um balão de San Diego. Não estou brincando. Fiz alguns garotos o encherem de hélio nos Estados Unidos, e o trouxe a ele do outro lado do mundo. Eu disse à comissária de bordo que minha bagagem era leve quando a coloquei no compartimento superior do avião, mas acho que ela não entendeu.

No voo, também pensei muito no que eu diria. Então me lembrei de que, quando se trata de Jesus, nosso trabalho é ser amor, não o publicitário de Deus ou o mestre de palavras extravagantes. Há um motivo pelo qual todos conhecemos as frases "ações falam mais alto que palavras" e "uma imagem vale mil palavras". Provavelmente, aquele balão foi o melhor discurso que eu poderia fazer. A existência dessa escola foi melhor que qualquer discurso de formatura que fiz nos Estados Unidos. Não se distraia pensando em qual será seu próximo passo ou se você será reconhecido pelos seus esforços. Ame as pessoas de maneiras extravagantes, loucamente ineficientes, colocando palavras de beleza na vida delas. Suas palavras têm esse poder. Coloque algumas em ação e veja o que acontece.

**A REGIÃO AUTÔNOMA DO NORTE DO IRAQUE SE CHAMA** Curdistão e é protegida por soldados corajosos chamados Peshmerga. O nome dessa força significa, literalmente, "aqueles que enfrentam a morte". O EIIS havia tomado a cidade de Mossul, e mais de um milhão de pessoas eram mantidas prisioneiras por eles. Os corajosos soldados Peshmerga haviam cercado a cidade e estavam se preparando para libertá-la. Seguimos para a linha de frente, onde os Peshmerga haviam cavado trincheiras. Disseram-me para largar o balão, já que ele seria um alvo e tanto para o inimigo. Quando chegamos, soldados do EIIS podiam ser vistos a apenas centenas de metros de distância, e soldados de ambos os lados trocavam disparos de forma intermitente. Além do balão, eu havia levado um pacote com medalhas que havíamos feito. Assim que chegamos às trincheiras, peguei o pacote com as medalhas e subi e desci as trincheiras, prendendo-as no peito dos soldados. Eu os fiz saber que eles também eram a esperança do país.[4]

Não demorou muito para um encarregado de toda a operação chegar e me perguntar quem eu era e o que estávamos fazendo. Ele nos convidou a voltar para a tenda de batalha e perguntou se queríamos ver o plano para a libertação de Mossul. Esse foi um rápido sim para mim e para meus amigos. Eu estava pensando que eles teriam monitores de tela plana com imagens por satélite, canais complicados de comunicação e mapas complexos com setas e detalhes. Em vez disso, eles tinham uma caixa de areia de 0,60 × 2,43 metros contendo soldados de plástico. Era esse o plano. Para ser franco, achei que haveria mais.

Eis o plano de Deus para você e para mim. Nossas palavras podem liberar o que há de melhor em nós. Não complique demais as coisas. Encontre palavras de amor, afirmação e compreensão que venham de um coração livre de cinismo e ódio. Faça uma busca em si mesmo. Há vestígios dessas coisas negativas à espreita nas áreas desconhecidas de sua vida? Quanto mais você ouve palavras bonitas, encorajadoras e cheias de vida saindo de sua boca, mais saberá que é nessa pessoa que você também está se transformando.

# CAPÍTULO 12

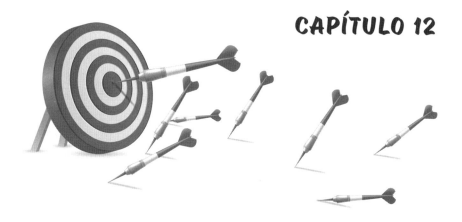

## O BOTÃO ERRADO

*Nossos fracassos não significam que somos um fracasso.*

Se você nunca foi às ilhas do Havaí, talvez não saiba que elas são dignas de lendas. Folhas de palmeiras grandes como mesas de cozinha cobrem o chão das florestas. Aves-do-paraíso emergem do solo em plumas de laranja-neon e lilás-azulado. Brisas oceânicas dançam sobre fluxos de lava petrificados, pretos como carvão. Ondas quebram em praias intermináveis, e musgos descem até os penhascos mais íngremes. Parece que nada consegue crescer ali, e as pessoas são tão felizes quanto seria de esperar, vivendo em um lugar tão belo.

Você sabia que o Havaí se tornou o quinquagésimo estado em 1959? Parece bem tarde, considerando que os Estados Unidos se tornaram oficialmente um país em 1776. Para a maioria de nós, o Havaí é a definição das férias dos sonhos. Só que nem tudo são saias feitas de grama, recifes de coral, bebidas com guarda-chuvinhas e espreguiçadeiras. Ele também é um arquipélago de importância estratégica nacional, geopolítica e militar. O Havaí é a porta de entrada dos Estados Unidos para a Ásia-Pacífico, da mesma forma que o Alasca é a porta de entrada dos Estados Unidos para a Rússia. É por isso que o Havaí tem onze bases militares, representando todos os quatro principais ramos militares norte-americanos e a guarda costeira. Logo, o Havaí tem também um potente poderio bélico.

Era outro belo dia no Havaí quando um homem de meia-idade atravessou a porta da Agência de Gestão de Emergências do Havaí. Olhando do lado de fora do edifício, ninguém poderia esperar que algo de impressionante acontecesse no interior. Suas portas duplas esbranquiçadas e baixas são a entrada principal, construída em uma pequena encosta coberta de arbustos. No entanto, atrás dessas portas algo mais agitado acontece. Os corredores se aprofundam cada vez mais na encosta, conduzindo a salas cheias de telas e consoles cobertos de luzes piscantes, sensores, botões, alavancas e microfones. Se você já ouviu falar em NORAD, no Colorado, esse lugar é basicamente o NORAD do Havaí. Como país, tínhamos boas razões para ter um lugar como esse. A Coreia do Norte havia lançado mísseis e desenvolvido uma arma nuclear, supostamente para destruir um lugar como esse.

Mas voltemos ao belo dia comum no Havaí, em janeiro de 2018. O homem que passou pelas portas duplas havia cometido um grave erro. Uma falha verdadeiramente épica. Ele não bateu em outro carro no estacionamento sem reportar o acidente ou jantou em um restaurante e saiu sem pagar. Em vez disso, durante um exercício de treinamento para verificar os sistemas de alerta antecipados para mísseis balísticos intercontinentais, ele se distraiu e apertou o botão errado. Ao fazer isso, ele alertou todo o Havaí — e, por extensão, o mundo inteiro — de que os Estados Unidos estavam sob ataque e deveriam tomar medidas imediatas de emergência. A mensagem que passou pelo Sistema de Alerta Emergencial e pelos celulares de todo mundo dizia o seguinte: "Iminente ameaça de míssil balístico. Isso não é um treinamento." Tenho certeza de que você se lembra desse evento. Foi um momento de pavor para todos nós, lembrando alguns anos antes de um dia gelado em Cuba no meio da Guerra Fria. Aprendemos naquele momento que apertar um botão errado poderia dar início a uma bola de neve de decisões ruins e acabar com muitas vidas por todos os lados.

*Isto não é um treinamento.* Tenho certeza de que os ministérios da defesa nacional estavam se falando pelo telefone. Amigos e moradores do Havaí se ligavam freneticamente, e os ilhéus estocavam comida e água e se dirigiam para os túneis. As pessoas se escondiam sob pontes e em buracos cavados à mão, enquanto outras se despediam. Eu não ficaria surpreso se o presidente fosse levado às pressas para o bunker sob a Casa Branca.

Depois de certo quiproquó e confusão, foram divulgados relatórios sobre o fato de o alerta ter sido um erro crasso. Depois que o mundo todo enxugou o suor da testa, todos ficaram furiosos. Algumas frases me vêm à mente, que parecem captar de forma inadequada a dimensão do caos. Apertar o botão errado resultou em consequências gigantescas para todo o planeta e trouxe consigo repercussões potencialmente graves. Algumas falhas são sérias demais para deixar passar, e o cara que apertou o botão errado foi demitido como qualquer pessoa seria. Sob as circunstâncias, todo mundo parecia concordar com isso. Para proteger a identidade dele, os meios de comunicação e a Agência de Gestão de Emergências não divulgaram seu nome. Mas descobri quem ele era e lhe enviei uma carta. Dentro do envelope havia uma oferta de trabalho. Não estou brincando.

Por que diabos fiz uma oferta de trabalho a um cara que cometeu uma falha épica? O cara que cometeu a burrada para acabar com todas as burradas? O motivo: eu não queria que ele pensasse que era um fracasso só porque falhou. Ele apenas se distraiu. Isso acontece com todos nós, só que de maneiras diferentes. Isso é tão importante, que vou repetir: ele não era um fracasso só porque falhou, e você também não é só porque se distraiu. Reflita sobre isso por um momento. Se você já falhou em algo — e meu palpite é o de que já —, sua falha foi um evento, não sua nova identidade. *Você não é um fracasso porque estragou tudo.* Uma distração que resulta em falha não significa que você é menos amado por Deus. Erros são lembretes de nossa necessidade desesperada por Ele em nossa vida.

Você acredita nisso? Consegue acreditar? As pessoas distraídas sobre as quais tenho falado neste livro sabem a diferença entre uma tentativa fracassada e ser um fracasso como pessoa. E você? Consegue entender a diferença entre os dois? Fazer isso fará toda a diferença em sua vida e na vida das pessoas com quem você interage.

Por que nos torturamos quando as coisas dão errado, tanto as pequenas como as grandes? Por que agregamos todas as nossas pequenas confusões e as colocamos nos lugares secretos de nosso coração e nos cofres de memória de nossa mente, armazenando-as em longo prazo? Se você é como a maioria das pessoas, aposto que se lembra de muito mais erros que cometeu pelo caminho do que de seus sucessos. Se é como muitos de nós, aquela palavra dura ou crítica de um professor, ex-namorado, ex-namorada, chefe ou um estranho total ficam tocando em sua mente como um disco arranhado. Se quisermos seguir em frente cativados por um propósito imenso, teremos de aprender uma nova maneira de processar essas memórias inúteis e ir além de nossas tentativas fracassadas.

Eu lhe darei alguns exemplos de pessoas que falharam miseravelmente, apenas para lembrá-lo de que você está em boa companhia quando parece que fracassou:

- Thomas Edison inventou 10 mil maneiras de como não construir a lâmpada antes de inventar uma que funcionava.
- A primeira empresa de Bill Gates falhou miseravelmente. Ela se chamava Traf-O-Data.
- Walt Disney foi despedido de um jornal, que mencionou sua falta de criatividade. Sua primeira companhia, a Laugh-O-Gram, também fracassou. (A todos os empreendedores que estão lendo este livro, não chamem sua empresa de Dash-O-Dash.)
- Milton Hershey inaugurou três fábricas de doces que não tiveram sucesso antes de fundar a Hershey's Chocolate.
- Einstein não falava com fluência até os 9 anos, e não foi aceito como aluno na Escola Politécnica de Zurique.
- Em um comercial da Nike no final dos anos 1990, Michael Jordan disse: "Em minha carreira, errei mais de 9 mil arremessos. Perdi quase 300 jogos. Vinte e seis vezes, me confiaram o arremesso da vitória e errei. Na vida, falhei repetidas vezes. E é por isso que tenho sucesso."[1]
- J. K. Rowling viveu na pobreza e passou sete anos finalizando as séries Harry Potter, rejeitadas por doze editoras.

Tá bom, sei que peguei esses exemplos na prateleira de cima. Nem todo mundo passa de fracassos épicos a super-sucessos, dos trapos à riqueza ou inaugura empresas que moldam o mundo. Mas o negócio é o seguinte: se você acredita que é um fracasso porque falhou em algo, não é assim que conseguirá as coisas importantes. Simples assim. Tive fracassos pessoais e profissionais. Estraguei meu avião e alguns relacionamentos que eram importantes para mim. Fiz uma empresa afundar e passei alguns anos colocando minha família em segundo lugar na vida, porque achei que estava dando a eles o necessário sem perceber que o mais necessário eu não estava proporcionando, que era eu mesmo. Uma vez, perdi tudo em um acordo imobiliário em Washington D.C., no qual tentei levar um pouco de paz às pessoas na liderança, mas perdi um monte de dinheiro nessa tentativa.

Todos nós queremos que nossas histórias sejam de sucesso, ao menos em certa medida. Queremos saber que nosso esforço, mais cedo ou mais tarde, gerará frutos. Queremos ser como Rudy, correndo pelo campo de futebol após anos de nobres esforços e fazendo a grande jogada. Adoro o fato de sermos programados assim. Mas você já vivenciou um fracasso total sem um lado bom, sem história de retorno, sem renascer das cinzas? Algumas falhas não podem ser desfeitas, como a do míssil no Havaí. Como seres humanos, somos programados para ver vilões e vítimas nesses momentos. Entendo — também sou assim. Mágoas imensas e quebrantamento podem resultar de falhas épicas. Mas ouça: Deus ainda nos ama. Deus ama os feridos e os presos. Deus corre até o pródigo e ama o fiel. Fico feliz que o coração de Deus seja assim, pois Seu amor pelos indignos é um lembrete de Seu amor por mim, alguém que não merece isso. É assim que Ele o ama e sempre o amará. Já disse isso e repetirei: a graça nunca parece justa até você precisar de um pouco.

Quando nosso filho Adam era criança, nossa casa era pequena, e estávamos reformando um cômodo no andar de cima para transformá-lo em um quarto. Estava com Adam nos braços no segundo andar e ouvi batidas na porta da frente. Ao virar a esquina para descer as escadas, pisei na placa que dizia "tinta fresca" e que caíra no chão no primeiro degrau. Escorreguei com ambas as pernas. Voei pelos ares, e parecia que eu daria um mergulho pela escada.

Entenda que tudo isso aconteceu em uma fração de segundos. A gravidade age rápido. No instante em que percebi que ia cair de cabeça com Adam nos braços, instintivamente estendi-os atrás de mim e o coloquei entre a parede e o primeiro degrau, ao passo que minha trajetória apontava para o primeiro andar. Por ter colocado os braços para trás a fim de manter Adam no lugar, desci os doze degraus de cabeça, como um trenó descendo a pista pela parte da frente. Eu era uma massa amorfa de sangue, roxos e batidas, deitado como um saco de ossos na base da escada. Tipo o Rocky Balboa quando perdeu para Ivan Drago. Meus olhos estavam fechados, e eu gemia de dor enquanto todas as partes de meu corpo me cutucavam e me diziam como me odiavam. Por outro lado, Adam estava ileso — rindo e batendo palmas, ainda no andar de cima.

Não muito diferente de Deus protegendo Moisés na fenda de uma rocha enquanto Ele passava. Ou, quando penso em Jesus na cruz, percebo como um Pai amoroso nos protege. Jesus não abriu os braços nas escadas, como eu. Em vez disso, Ele abriu os braços em uma cruz de madeira. Ele foi lançado nas profundezas por nossa causa, e o tempo todo nos manteve em segurança até levar todos os golpes que seriam direcionados para nós.

**TRABALHEI DURANTE ANOS EM UM PROCESSO JUDICIAL** com muitas vantagens financeiras em jogo para meu cliente. Quando finalmente acabou, peguei minha família e fomos à Disneylândia para comemorar. Eu estava com muita vontade de cumprimentar o Mickey e o Pateta com um "toca aqui".

Enquanto isso, meu sócio advogado estava prestes a encerrar tudo com nosso cliente após uma longa batalha judicial. Ele passou pelo banco e pegou um cheque administrativo para dar ao cliente. Após entregar a papelada final e receber os lucros, ele foi para o campo de golfe. Esse esporte não é minha praia, mas meu sócio adorava jogar, e achou que uma partida de golfe seria a melhor maneira de comemorar o encerramento do caso e retomar um ritmo mais saudável de trabalho. Ele pôs o cheque no bolso de trás e deu umas tacadas.

No nono buraco, meu sócio recebeu uma ligação do banco no celular; como ele estava no meio de uma tacada, deixou a ligação ir para a caixa postal. No décimo segundo buraco, o banco ligou novamente no seu celular; dessa vez ele estava a ponto de acertar um buraco, e deixou ir para a caixa postal. No décimo oitavo buraco, ele recebeu outra ligação do banco; ele havia dado uma tacada ruim (de novo) e a bola caiu em uma área difícil do campo, de modo que deixou ir para a caixa postal. Depois disso, as ligações chegavam a cada dois ou três minutos. Finalmente, ele atendeu o telefone. "O quê? O que é? O que poderia ser tão importante para você me azucrinar a tarde toda? Isso não pode esperar até segunda-feira?" Ele sequer deu uma chance à voz do outro lado da linha de dizer alguma coisa. Acontece que era o presidente do banco.

"Está com o cheque que nós demos a você?", perguntou o presidente.

"Claro, estou sim. Está na minha carteira."

"Tire-o de dentro dela e dê uma olhada nele."

O cheque administrativo devia ser de US$1 milhão, uma soma bastante considerável. Só que o cheque que ele segurava, por engano, era de US$1 *bilhão* de dólares. Isso mesmo, bilhão, com *b*.

Ele largou o taco bem ali onde estava e pôs a mão na boca. "O que devo fazer?", perguntou ele. "Ah, fica pra você", disse o presidente. E todos viveram felizes para sempre.

Brincadeira. Aconteceu exatamente o oposto. Meu sócio advogado recebeu instruções precisas sobre como devolver o cheque administrativo, que era tão bom quanto dinheiro, imediatamente ao banco. Parte de mim se perguntou se atiradores de elite, helicópteros e drones o mantiveram sob vigilância enquanto ele voltava para o banco, mas eu estava na Disney andando de Dumbo, então esse voo ele fez sozinho.

Quanto você acha que sua vida vale para Deus? Um dólar? Um milhão de dólares? Que tal US$1 bilhão? Para Ele, não há zeros o bastante para estimar o *seu* valor. Aqui está a promessa louca que Jesus nos fez: quando falhamos de forma miserável, homérica, épica, e quando nos distraímos com as coisas menos importantes ao nosso redor, o que valemos para Ele não diminui. Você e eu somos as meninas de Seus olhos e o pulsar de Seu coração. Para Ele, você e eu somos eternamente valiosos; todos somos.

Haverá momentos em nossa vida em que apertaremos o botão errado no trabalho, em um relacionamento ou entre uma ou outra decisão importante. A inevitabilidade de um erro não quer dizer que ele seja menos doloroso. É hora de pararmos de agir como se nossas falhas, de certa forma, nos desqualificassem perante o amor de Deus, quando na realidade esses contratempos podem levar a uma consciência mais aguçada disso. O sacrifício que Jesus fez por nós significa que qualquer falha que possamos conceber está paga. Ele foi ferido no queixo, nas mãos e pés por nós. Quando tropeçamos, ele nos aninha em segurança até colocarmos a cabeça no lugar. Precisamos perceber o que já nos pertence. Por causa de Jesus, sabemos que nossos fracassos não nos tornam fracassados. Eles nos lembram de que pertencemos a Ele.

# CAPÍTULO 13

## O NARIZ DE PINÓQUIO

*Renunciamos ao nosso propósito quando o fingimos em nossos relacionamentos a fim de conservar uma falsa sensação de segurança.*

Meus amigos e eu fomos aos estábulos em nosso centro de retiro chamado The Oaks. Animado para compartilhar essa nova aventura com pessoas com quem me importava, assumi o papel do anfitrião que desejava que os hóspedes tivessem momentos incríveis. Eu apontava meus lugares favoritos na propriedade — as vacas pastando, as construções reformadas aqui e ali, o tobogã e as vinhas crescendo. Estava agindo como P. T. Barnum em controle total do circo enquanto nos dirigíamos até o celeiro. Mas, dentro de mim, eu sabia a verdade. Estava um pouco nervoso em montar a cavalo porque, na verdade, sei muito pouco sobre esses animais.

Desde que inaugurei o centro de retiro e enchemos nossos estábulos de cavalos, aprendi que há uma grande diferença entre cavalos mansos, destinados a passeios de trilha com caras velhos como eu, e puros-sangues rápidos como relâmpagos, destinados a galopar velozmente sob as selas de jóqueis treinados. Os primeiros são mansos o bastante para que se possa colocar uma criança em cima; os últimos soltam fumaça pelas ventas e estão fazendo testes para o Apocalipse. Então, quando meus três amigos e eu chegamos ao estábulo, rapidamente avaliei a situação. Tínhamos três cavalos mansos e um puro-sangue de corrida do Apocalipse. Os três primeiros cavalos já estavam selados, então levei meus amigos até suas montarias. Depois, peguei uma sela para colocar na minha, tentando parecer ao máximo que sabia o que estava fazendo. Tentei assentar adequadamente minha sela, mas eu estava principalmente jogando correias e dando nós quadrados em tudo o que conseguia encontrar. Acho que tinha uma alça na orelha do garanhão e outra na cauda. Tentei bancar o descolado e representar o papel para que meus amigos não ficassem nervosos por minha causa.

Quando chegou a hora de cavalgar, meus amigos montaram em seus cavalos, com uma aparência tão calma e satisfeita quanto uma tarde perfeita de primavera. Respirei fundo, agarrei o pito da sela e passei uma das pernas sobre meu cavalo de corrida. Foi aí que as coisas degringolaram para mim em dois tempos. No instante em que montei, o cavalo disparou, correndo e saltando. Eu não sabia dizer qual era o lado de cima, porque minha cabeça sacudia violentamente. Segurei-me para salvar a vida, sem saber que tinha melhor chance de sobreviver se saísse daquela montaria. Quanto mais eu ficava na sela, mais irado o cavalo ficava, pulando, saltando e bufando. Não foram oito segundos de glória. Estavam mais para trinta segundos de Bob voando pelos ares enquanto seu traseiro batia na sela. Por fim, o cavalo venceu a disputa e me jogou. Felizmente caí de cabeça, que é bem dura.

Meus olhos estavam nivelados com o chão, e, quando recuperei meu foco, pude ver três pares de pernas correndo em minha direção. Eu não podia deixar transparecer que estava machucado, então me levantei rindo. "Estou bem, estou bem", disse, sacudindo a poeira. "Acontece o tempo todo. Faço isso todo dia. É só uma coisinha que faço de manhã pra desenferrujar. Como me saí?" Enquanto isso, limpava os olhos e as orelhas para ver se havia sangue escorrendo.

O negócio é o seguinte: eu sabia que estava mentindo. Estava com dores colossais, provavelmente tinha sofrido uma concussão, e minha vontade era a de entrar na banheira de água quente e encontrar o médico, gazes e o frasco de ibuprofeno mais próximos. Meus amigos também sabiam que eu estava mentindo. Eles viram a careta por trás do sorriso.

Depois disso, passamos um bom dia juntos, mas naquela noite, mais tarde, precisei me perguntar: *Por que simplesmente não fui honesto com meus sentimentos?* Eu poderia ter dito aos meus amigos: "Me deem um minuto para descobrir qual é meu nome." Mas, em vez de ser sincero, fingi. No meu caso, deixar de ser autêntico não foi uma atitude proveniente do orgulho, e aposto que o mesmo acontece com você o tempo todo. Minha razão por estar tão alegre era simples: todo mundo havia ido até lá para se divertir, e eu não queria ser um estraga-prazeres. Então, em vez de demonstrar dor, fingi.

Sei que bancar o durão depois de ser derrubado de um cavalo não é o melhor dos exemplos. Mas e as outras questões com que lidamos? Você tem um amigo que esconde um vício? Seu filho, que está no ensino médio, se sente vulnerável em relação aos próprios medos ou se encolhe, com receio de parecer inferior em comparação com outra pessoa? Às vezes a vida parece uma montaria selvagem, e, quando somos derrubados do cavalo, ficamos tentados a tirar a poeira para que ninguém enxergue a dor por baixo. Se queremos aprofundar nossos relacionamentos, nossa autenticidade não pode ser superficial.

**JÁ QUE O ASSUNTO É FALAR A VERDADE, PARECE JUSTO** mencionar *Pinóquio*. Se você não viu o filme da Disney nem ouviu a história quando era criança, refrescarei brevemente sua memória. Pinóquio é um boneco de madeira feito por um amável carpinteiro chamado Geppetto, um sujeito encantador e com jeito de avô que faz esculturas em sua lojinha. A esperança de Geppetto é a de que Pinóquio, um dia, se torne um menino de verdade, e a história começa aí, graças a uma fada que dá vida a Pinóquio com sua varinha de condão.

No entanto, em vez de Pinóquio se transformar em uma pessoa de carne e osso, ele permanece uma versão animada de um brinquedo de madeira. Ele fala, pensa e se mexe, mas ainda é de madeira. Eu me identifico. Todos nós queremos ser mais reais, não? E nenhuma fada pode nos ajudar nesse sentido — para isso, temos Jesus —, mas o que ela ensina a Pinóquio sobre o caminho para se tornar real ainda contém muita verdade. Veja o que ela lhe disse: que se tornar real é se tornar "corajoso, verdadeiro e altruísta". Minha teologia vai além desses atributos, mas certamente os inclui. Pense seriamente em incluir essas virtudes na sua vida para se tornar mais real para as pessoas ao seu redor.

Pinóquio poderia ter ido à biblioteca para ler livros sobre fisiologia humana, creio eu. Poderia ter entrevistado filósofos sobre a essência da experiência humana. Poderia tomar um café com outros seres humanos e ouvir as histórias de suas vidas. No entanto, nada disso o tornaria mais humano. Reunir informações sobre a vida e até sobre Deus é seguro, pois pode nos dar uma ilusão de progresso, mas isso não nos torna mais reais. Não estou lhe dizendo para dispensar totalmente as informações; apenas saiba que, sozinhas, elas não vão levá-lo até onde você precisa ir. Na verdade, meramente coletar informações, analisá-las e elaborar planos sem fim pode se tornar uma forma de distração, um tipo de procrastinação de sua vida real.

Para se tornar mais humano, você precisa assumir o corajoso trabalho de se tornar real. Por que não começar sendo um pouquinho mais corajoso, verdadeiro e altruísta, como Pinóquio foi instruído a ser, e ver o que acontece? Minha aposta é a de que essas características criarão um caminho até os tipos corretos de relacionamentos, e essas amizades o apontarão para uma vida mais significativa, alegre e com propósito.

É fácil superestimar e subestimar esse trabalho. Explicarei. Tornar-se mais real não precisa ser uma jornada exaustiva, como fazer trilha em uma geleira; pode ser tão acessível quanto atravessar a rua ou o corredor para amar o próximo. Tente o seguinte: seja completamente autêntico com uma pessoa hoje. Depois, duplique o alcance e a profundidade de suas conversas amanhã. Mergulhadores que usam snorkels ficam nos primeiros metros da superfície de suas conversas. Mergulhadores de naufrágios vão tão fundo quanto necessário para encontrar o tesouro. Prometo que, se você explorar o que está por baixo de toda a conversa superficial, encontrará amizades duradouras — e, quando o fizer, redescobrirá a alegria e, talvez, até sua fé.

Não desanime ou se distraia se você encontrar alguns contratempos relacionais no caminho para se tornar mais real. Isso não significa que você é ruim com as pessoas. Significa que está aprendendo, assim como todos nós. Não descarte o fato de que também há pessoas que podem ser ruins com você. Preste atenção às dicas que você pega. O engraçado sobre relacionamentos é que as pessoas que são horríveis neles muitas vezes são as que se acham melhores neles. Identifique essas pessoas em sua vida e decida imediatamente diminuir a influência que exercem sobre você.

Outra chave para se tornar mais autêntico é ser franco sobre os fatos e detalhes de sua vida. O que quero dizer é o seguinte: se você quer eliminar as distrações e criar capital relacional, não embeleze suas experiências ocultando-as sob as sombras. Apenas diga a verdade. O peixe não precisa ser maior cada vez que você conta a história. Leia a história bíblica sobre Ananias e Safira e veja o que aconteceu com eles.[1] Eles eram bons, gentis e generosos, mas não foram honestos sobre *a maneira* como praticaram a generosidade — e isso lhes custou a vida.

Não distorça os eventos de sua vida ou presuma que tudo o que você diz ou faz precisa estar pronto para um comunicado à imprensa. Seja gentil, mas um pouco desleixado; fale a verdade como você a vê; arrisque dizer em voz alta o que você realmente pensa sem passar tudo por um filtro de relações públicas primeiro. Quando revelar seu verdadeiro eu, atrairá as pessoas que gostam da maneira única como você vive e vê o mundo. Essas são as pessoas que anseiam por um relacionamento verdadeiro com alguém como *você*, não um relacionamento com uma versão sua que, na verdade, sequer existe.

Se quer afastar as distrações de sua vida, abandone atitudes de amor egoísta. Faça as coisas sem chamar atenção ou fazer reverência. Jesus disse a Seus amigos que essas eram as coisas que durariam para sempre. Faça do amor às pessoas sua própria recompensa, sem buscar aprovação ou aplauso. Torne atos altruístas de gentileza tão naturais quanto respirar fundo. Faça com que essa se torne sua característica definidora. Some a isso uma veracidade patente e atos de coragem e bravura, e então será tão real quanto possível.

**SE VAMOS ACESSAR A VIDA MAIS IMPACTANTE E PODE**-rosa ao nosso dispor, temos de ser implacáveis em relação aos obstáculos em nosso caminho. Esse trabalho é difícil, e pode ser confuso às vezes. Para ser franco, houve épocas em que evitei por inteiro esse trabalho, porque o esforço pode ser exaustivo. Conheço muitas pessoas — adultos muito bem-intencionados, que parecem bastante equilibrados — que nunca fizeram a si mesmas essas perguntas. Mas adivinhe só: a vida delas também não parece tão interessante, pelo menos do meu ponto de vista. Elas parecem estar apenas lutando por um contracheque, um carro veloz ou uma casa bonita, somente tentando chegar no fim de semana ou nas próximas férias — tudo isso sem propósito. Parecem estar repetindo os roteiros da vida dos amigos ambiciosos... ou, talvez, a vida que seus pais viveram antes delas. É como um Dia da Marmota multigeracional de distrações que as está afastando da alegria autêntica.

Veja, todos nós começamos com as cartas que recebemos. Algumas distrações são externas, e devemos reagir às que estão no nosso caminho. Outras distrações são implantadas em nós, ou colocadas em nosso coração pelas pessoas em que confiamos ao longo da vida. Existem ainda outras distrações com as quais nos sabotamos. Vi isso acontecer com mais frequência em relacionamentos superficiais. Pergunto o seguinte: quanta energia você está desperdiçando construindo um mundo imaginário que você espera que o proteja? Você está tentando controlar todos os resultados e se proteger contra a imensa quantidade de incerteza que Deus colocou em sua vida? Você está trocando quem realmente é por uma caricatura sua?

Se você já ouviu falar do cão de Pavlov, se lembrará do trabalho que ele fez sobre respostas condicionadas. Pavlov foi um cientista que conduziu um experimento no qual tocava um sino e, em seguida, dava comida a seu cão. O cão acabou relacionando o toque do sino com uma coisa boa que viria a seguir, que era comida. Não demorou muito para o cão de Pavlov começar a salivar sempre que ouvia o sino tocar, mais ou menos como eu quando sinto cheiro de pizza.

Depois de experiências suficientes, vinculamos as coisas a resultados esperados. Talvez vejamos "a luz se acender" ou "ouvimos o sino tocar" e ficamos condicionados a prever algo bom chegando. Da mesma forma, depois que coisas ruins acontecem, conectamos essas experiências a resultados negativos similares. Por exemplo, depois de sermos jogados de um cavalo, podemos afirmar que nunca mais montaremos de novo. Nossa mente e nosso coração estão programados para reduzir a dor e o desconforto, e aumentar o prazer e o conforto. A Bíblia nos diz isso. Aceita que dói menos: as coisas que experimentamos, boas e ruins, moldam a maneira como antecipamos o que virá a seguir.

Alguns de nós adiam comemorações, felicidades e alegria por conta de alguns momentos ruins que vivenciamos no passado. A correção exige, primeiro, que entendamos por que estamos fazendo o que fazemos. Se não estivermos cientes dos motivos de nossos comportamentos e respostas condicionadas, não conseguiremos mudá-los de nenhuma forma significativa e fazer o tipo de progresso que desejamos. Claro, parece mais fácil ignorar o que está desencadeando o medo, a apreensão ou o estresse que sentimos e esperar que essas sensações simplesmente desapareçam ou se resolvam sozinhas. Mas o negócio é o seguinte: isso não vai acontecer. Às vezes nosso passado não quer mais ficar no passado, simples assim. Não fique alarmado quando isso acontecer; em vez disso, aceite e compreenda isso, e substitua uma resposta condicionada por outra nova, melhor, mais racional, mais leal e mais focada. Substitua acusação por empatia, culpa por compaixão, e raiva por perspectiva e graça. Esse é o poder que Deus dá a cada um de nós, se tivermos coragem para sermos novas criações. Trocando em miúdos, sua próxima versão pode decidir não deixar mais se intimidar pelo passado.

Pergunte a si mesmo: "O que não posso mais adiar em minha vida?" Você está adiando o que quer que seja porque na última vez deu muito errado? Está com medo? Às vezes também tenho medo. A solução é cair na real. Diga isso em voz alta. Dê nome ao seu medo. Pare de se culpar e dispense-o. Então, substitua a velha perspectiva por uma reação nova e mais adequada, e seja uma versão mais autêntica de si mesmo. Se fizer esse trabalho corajoso, aquilo que o perseguiu no passado não poderá mais exercer controle sobre você.

Quando analiso a vida de Jesus, vejo alguém que estava disposto a questionar se a maneira como as coisas estavam acontecendo era como as coisas deveriam continuar acontecendo. Sua vida inteira foi incumbida da tarefa de mudar a forma como interagimos com Deus. Para fazer isso, Jesus teve que se tornar incrivelmente vulnerável, real e presente. Ele riu, chorou e rompeu as normais sociais da época. Ele convidou as pessoas ao Seu redor a fazer o mesmo, e continua a nos estender esse mesmo convite: abandonar nossas noções preconcebidas e as camadas de proteção sob as quais nos escondemos, sejam elas a religião, o status social ou o dinheiro. Jesus foi direto ao cerne da questão; constantemente removeu as distrações que impediam as pessoas de ver quem Ele de fato era; e quando elas O viram de verdade, encontraram amor e um propósito maior. Ele nos mostra como podemos deixar de ser um brinquedo de madeira e nos transformar em uma pessoa de carne e osso.

Ele está convidando você a fazer o mesmo. Nade contra a corrente; desafie a suposição do mundo de que você manterá o *status quo*. Em vez disso, escolha ir a fundo. Pare de meramente concordar com as expectativas de todos sobre quem você deveria ser. Faça barulho, se precisar. Decida que você deixará de ser uma marionete para ser uma pessoa de verdade. Descobrir e viver seu verdadeiro propósito só poderá acontecer se você for corajoso o bastante para cortar os cordões e for sincero com as pessoas ao seu redor.

Sem dúvida, o cão de Pavlov nos ensinou muita coisa. Mas não é só porque "a luz se acende" ou "ouvimos um sino tocar" em um encontro ou circunstância familiar que deixaremos o passado dar a última palavra. Certamente, nosso passado pode apontar a direção do futuro, mas temos autoridade suficiente para declarar que o passado não nos controla. O jogo não foi arranjado, e o resultado não é predeterminado. Viva em um estado de antecipação constante para encontrar um novo equipamento e uma resposta melhor do que você teve no passado. Sem dúvida, você deve se lembrar do passado e aprender com ele. Mas deixe um espacinho para Deus aparecer com novas aventuras, um pouco de graça e novos resultados. Viva intencionalmente uma vida de surpresas.

Infelizmente, durante a tomada de Leningrado, os cães de Pavlov foram devorados.[2] Aposto que eles não previram isso. Ao passo que, se você seguir em frente, algumas coisas boas e ruins acontecerão com você. Não tenha pressa em responder com um monte de suposições do que acontecerá em seguida. Isso apenas o distrairá da carta que Deus tem na manga. Gire a cabeça para ver outros resultados possíveis, ainda que improváveis. Aprenda com o passado e, então, volte a viver em expectativa constante da próxima coisa que Deus tem em reserva para você.

# CAPÍTULO 14

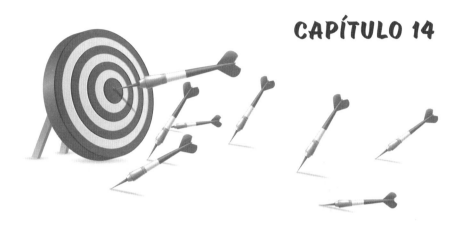

## AS DESVENTURAS DE UM REJEITADO EM SÉRIE

> Enxergue circunstâncias
> inesperadas como surpresas, e
> aquilo que parece uma decepção
> se tornará um convite.

Existe uma organização, que eu adoro, voltada para jovens do ensino médio. Sua missão é envolvê-los no amor de Deus sem esperar que eles tenham uma vida equilibrada antes de serem aceitos. O motivo por que adoro essa organização é porque já fui um desses jovens. Um dos líderes causou um grande impacto em minha vida. Ele me conhecia do ensino médio e, provavelmente, percebeu que eu me sentia um estranho no ninho. Eu estava pensando em abandonar a escola e arrumar um emprego. Um dia, esse líder me apoiou quando apareci à sua porta e, sem nenhum planejamento ou preparação, me acompanhou em uma viagem, mesmo estando recém-casado. Digo, quem você conhece que faz essas coisas? Eu devia ter me desculpado com a noiva dele por ser um adolescente tão confuso, mas ela já sabia sobre mim.

O impacto que esse líder causou em minha vida mudou tudo. Permaneci no ensino médio e também fui para a faculdade. Eu me tornei líder na mesma organização durante a faculdade, e engajei jovens para que, cheio de esperança, os conduzisse em rota de colisão com o amor de Deus, assim como outra pessoa fez por mim. Depois de terminar a faculdade, minha vontade era conseguir um trabalho na equipe de seus escritórios principais. Queria ser mais que um mero voluntário dessa organização. Portanto, aumentei meu próprio salário pedindo doações a amigos e familiares. Não custaria nada a eles, então parecia um bom negócio a todos os envolvidos. Estava a todo vapor, comprometido com a missão da organização, e era muito bom em quebrar o gelo com os jovens.

Candidatei-me ao emprego e fui recusado. *Como assim?* Não fiquei bravo, somente confuso e um pouco magoado. Nunca é bom se expor e alguém dizer: "Er, não, obrigado." Especialmente quando se é mão de obra gratuita, não há praticamente nenhum risco para eles e ninguém mais se candidatou ao cargo. Nunca recebi uma explicação satisfatória. Pensando bem, hoje em dia entendo que não sou muito bom em aceitar ordens, e provavelmente foi bem pensado, da parte deles, terem me dispensado. Eu não teria feito tudo o que tivessem me pedido, e todos teríamos sido muito infelizes. Só que, na época, eu não conseguia enxergar isso; a sensação foi de rejeição.

Se você estivesse no meu lugar, como reagiria a esse revés? Ficaria de mau humor e reclamaria? Desabafaria um pouco? Culparia Deus ou veria isso como forças da escuridão contra você? Ou veria a rejeição como uma oportunidade para aprender mais sobre si mesmo, tomar um novo rumo na vida e, talvez, desenvolver novas habilidades? Serei o primeiro a admitir que rejeições inexplicáveis podem minar nossa confiança. Mas o negócio é o seguinte: não permiti que essa rejeição se tornasse um fator determinante em minha vida, e também não quero que reveses como esses definam quem você é.

Algumas pessoas permitem que decepções se transformem em distrações. Não seja do tipo que cai nessa armadilha. Pare de pensar em como a vida pode ser injusta e transforme as rejeições em lições e as decepções em determinação. Você não conseguiu o emprego que queria, o relacionamento que desejava ou a oportunidade que sentiu que era sua? Quando nos deparamos com obstáculos, podemos decidir ser o tipo de pessoa que se ocupa — e não que fica amarga — e começa a tomar outro rumo. Pare de lamentar a bola perdida e volte a se concentrar no jogo. Logo, outra virá. Esteja pronto para chutá-la.

Já que não consegui o trabalho na organização, decidi me matricular na faculdade de direito. Era ambicioso e me sentia otimista, e não permitiria que a decepção tomasse conta de mim. Solicitei ingresso em pelo menos dez faculdades, e sabe quantas me disseram sim? Pense em um número redondo. Nenhuma. Zero. Nada. Necas.

Por fim, depois de um protesto, convenci uma das faculdades de direito a investir em mim. Três anos depois, me formei e passei no exame da Ordem em vários estados. Pus a cabeça no lugar, trabalhei duro e me tornei sócio em um escritório de advocacia de médio porte em San Diego. Acabei largando o emprego para abrir meu próprio escritório. A propósito, não pedi permissão para deixar meu emprego seguro, e você também não precisa de permissão para deixar o seu. Escolhi a vida e aterrei a carreira, em vez de fazer o oposto, o que vi muitas outras pessoas fazerem.

O escritório que abri fez muito sucesso ao longo dos anos seguintes. Nós crescemos, ao passo que outros advogados e funcionários se juntavam a nós. Abrimos filiais em outros estados, e tudo corria bem. Especializamo-nos em representar ONGs, e um dia uma ideia me ocorreu: *E se oferecêssemos serviços gratuitos para a organização que me apoiou no ensino médio?* Como eles tinham muitas propriedades, doadores e funcionários, suspeitei que teriam uma montanha de disputas legais e papeladas. A ideia de ajudar me causou uma sensação muito boa, porque a organização ainda ocupava um lugar especial no meu coração. Aceitei que não era a pessoa certa para me juntar a eles anos antes. Mas agora que eu era um advogado bem-sucedido, talvez eu conseguisse lhes poupar uma tonelada de dinheiro. Além do mais, eu faria isso *de graça*. Então, o que eles tinham a perder? Telefonei para eles a fim de compartilhar a generosa oferta, certo de que era uma proposta irresistível. Segura essa: eles me rejeitaram de novo. *Como assim?*

Não recebi explicações (de novo), mas suspeito que já tinham advogados crânios compondo seu pessoal. Meu palpite é o de que o trabalho gratuito que ofereci era um negócio melhor, mas minha oferta generosa não precisava ser aceita para parecer importante — e a sua também não precisa ser. Criar caso com outras pessoas quando elas rejeitam suas ofertas e sua disponibilidade servirá apenas para distrai-lo. Em vez disso, opte pela obediência. Ela sempre supera o reconhecimento.

Tudo isso é uma versão diferente do que provavelmente já aconteceu com você dezenas de vezes. Não estou colocando panos quentes na situação, mas será que sua vida não seria diferente se você visse resultados decepcionantes como oportunidades animadoras? Porque a verdade é que Deus sabe *exatamente* o que está fazendo, e Ele nunca se surpreende. Muitas vezes, decepções são redirecionamentos divinos. Mas, às vezes, para chegar aonde se quer ir quando a estrada acaba, é preciso arregaçar as mangas e construir um trajeto novo.

Decepções não o tornam vítima; elas provam que você é participante, e a participação é nosso chamado — não o sucesso, empregos ou reconhecimento. Mesmo diante de resultados que não deseja, você tem a atitude incansável e irrevogável de dar os próximos passos corajosos. Não se limite a concordar comigo; viva essas verdades com gosto. Você pode assumir o leme na hora em que quiser, sabendo que, em última instância, a afirmação e a validação que deseja só podem vir de Deus. E aqui está uma manchete grandiosa e irrefutável: Ele já aprova você.

Eu não podia ser funcionário ou advogado da tal organização, portanto, decidi que seria apenas amigo deles e um bom vizinho. Se já leu algum dos meus outros livros, você sabe sobre nossa pousada familiar no Canadá, a qual construímos ao lado de um acampamento de propriedade dessa mesma empresa. Sabe por que a pousada fica lá? Porque anos atrás conheci uma mulher especial e que era líder. Ela conquistou meu coração e mudou o rumo de minha vida. (Você a conhece como minha Amada Maria.) O acampamento e nosso alojamento são cercados por milhares de quilômetros quadrados de belos cedros selvagens. Empresas madeireiras adoram essas árvores, porque podem cobrar uma nota por elas. Ao longo dos anos, madeireiras tentariam comprar os terrenos ao redor do acampamento e de nossa casa para poderem colher a madeira. Mas eu não conseguia suportar a ideia de uma montanha devastada em um lugar que deveria ser intocado e inspirador para gerações de exploradores.

Sempre que minha firma ganhava um caso importante, eu pegava uma parte dos rendimentos e comprava blocos da floresta ao redor do acampamento, 40 hectares de cada vez. Fiz isso por vinte anos e acabei protegendo uma boa parte da floresta na enseada, e, a partir daí, dei a maior parte da propriedade à organização que tantas vezes me dispensara. Agora, é impossível alguém arruinar esse lugar especial.

Duvido que eu teria feito essas coisas se a organização tivesse me contratado de graça durante todos aqueles anos, como líder ou como advogado. No fim, acabei me tornando um vizinho muito melhor que um funcionário. Refletindo sobre como eram colocados um obstáculo após o outro, de maneira inexplicável, pelo caminho que eu achava que queria, aposto que Deus sabia dessa verdade. Esses reveses que pensei que eram obstáculos para minhas ambições estavam, na verdade, arando a estrada rumo a algo que eu desejava ainda mais — resultados que se provariam mais duradouros. Se algo não sai do seu jeito, não faça beicinho. Seja criativo. Neutralize sua decepção com alegria, visão e trabalho duro. Mais tarde você encontrará um jeito de fazer alguma coisa boa com suas belas intenções.

Acho que o que quero dizer é o seguinte: não se deixe distrair por atrasos. Em vez disso, passe a contar com eles, apostar neles, aceitá-los e aproveitá-los. Não xingue o vento; deixe que ele encha suas velas. Se você perdeu o emprego, sei que esse pode ser um momento estressante. Que tal transformar o período entre um emprego e outro nas férias que você nunca conseguiu tirar antes? Talvez possa transformar seu desemprego em algo divertido. Eu sei; você está pensando que é mais fácil falar do que fazer. E sabe de uma coisa? Você está certo. Não obstante, as pessoas que compreendem o poder do propósito e da alegria o fazem de qualquer maneira. Elas abandonaram a ideia de que tudo sairá conforme o planejado e tiram proveito da jornada prazerosa e incerta.

**QUANDO EU ERA JOVEM, UMA ÁREA DA VIDA EM QUE** tinha de colocar muita fé em prática era nos relacionamentos românticos. Eu era o que certas pessoas chamavam de "temporão" quando assunto era namoro. Acho que essa não é uma forma precisa de me descrever. Existe uma flor chamada "flor-cadáver". É a maior flor do mundo e tem esse nome porque seu cheiro é muito, mas muito ruim, e ela floresce uma única vez a cada quarenta anos. Era assim que me sentia em relação ao namoro; eu era tão ruim, que chegava a feder. Talvez eu devesse ter tomado mais banhos também. Quem sabe? Sem dúvida, eu também tinha mais bulbos que flores.

No início do ensino médio, minha ambição era sair com alguém. Isso nunca aconteceu, mas eu tinha altas esperanças para o fim do ensino médio. Na verdade, minha ambição nunca se materializou de nenhuma forma significativa no ensino médio. Mas sempre há a faculdade, certo? Consegui resumir quatro anos de faculdade em cinco, mas ainda não tinha sorte com encontros. Conheci minha Amada Maria no segundo ano da faculdade de direito, e foi paixão imediata. Ela participava da mesma organização à qual tantas vezes e sem sucesso eu tentara me juntar, portanto, eu sabia que tínhamos muito em comum. Eu soube, do fundo do coração, que ela era a pessoa por quem eu estava esperando antes mesmo de ter espinhas. Logo, depois que nos encontramos algumas vezes, eu a convidei para sair.

Até hoje estou convencido de que todas as meninas frequentam a mesma turma de dizer não, pois foi exatamente isso que minha Amada Maria disse. Ela não agiu assim por maldade, e ficamos amigos. Mas o negócio é o seguinte: eu sabia o que queria e era persistente. Então, fiquei procurando mais chances de estar em qualquer lugar próximo a ela. Ficar na cola da minha Amada Maria parecia conter um propósito, e, quando eu fazia isso, permanecia totalmente sem distrações da forte possibilidade, se não da certeza, de que aquilo não daria certo.

Ouvi falar que minha Amada Maria estaria em um acampamento nas montanhas ao redor, liderando dez alunas do ensino médio que fariam trabalho voluntário em um retiro para mulheres no fim de semana. Não sou bobo nem nada, e saquei a oportunidade. Imediatamente reuni dez rapazes do ensino médio para trabalharem como voluntários no acampamento, a fim de ter um motivo para ficar perto da minha Amada Maria sem parecer um stalker. Na primeira noite do retiro, o marca-passo de uma idosa parou, e ela ficou com o rosto enterrado no espaguete. Ela teria partido, e não por alguns poucos minutos. Ela teria realmente partido em direção à luz, ascendido aos céus, conhecido São Pedro, Partido com *P* maiúsculo. Mas veja só: eu sabia fazer ressuscitação cardiopulmonar. Então, nos trinta minutos seguintes, bombeei seu peito e soprei em seus lábios enrugados até a ambulância chegar. E funcionou. A senhora que estava no chão abriu os olhos quando tocamos os lábios novamente, e ambos descobrimos que ela não estava morta. Não era o primeiro beijo que eu esperava naquele fim de semana, e, embora não tivesse sido um acontecimento do nível de Lázaro, passou perto o bastante para chamar a atenção da minha Amada Maria. Ela devia estar pensando com seus botões: *Esse cara não é lá muito atraente, mas pode ser útil em um aperto.*

Alerta de spoiler: eu persisti e, no fim, ganhei o primeiro beijo da minha Amada Maria. Trinta e quatro anos de casamento e três filhos depois, descobrimos que o mesmo acampamento onde as coisas começaram estava à venda. Eu não havia voltado para o acampamento em quase quarenta anos, e fazia muito tempo que ele não era renovado ou reformado. Estava muito mais que apenas desgastado nas bordas. Em certos trechos, o cheiro parecia com o de 300 garotos de 14 anos que moravam lá havia décadas sem tomar banho. Com alguns bons amigos, compramos o acampamento, tiramos os esquilos das paredes, despimos os quartos até os pregos e mudamos algumas paredes para transformar os quartos em suítes. Substituímos os beliches de compensado por camas grandes, trouxemos móveis de couro e penduramos quadros a óleo em tantas paredes vazias quantas conseguimos achar. Transformamos o lugar em um retiro de primeira categoria e muito bonito, e estávamos animados para abrir as portas e receber pessoas para que elas obtivessem o descanso e a clareza de que precisavam. Sabíamos que aquele poderia ser um lugar onde as pessoas se afastariam das distrações e voltariam a encontrar a alegria.

Escolhemos uma data de inauguração, e comecei a encher balões, que é o que faço quando estou empolgado e não sei o que fazer. "Vai ser maravilhoso", ficava repetindo várias e várias vezes para qualquer um que quisesse ouvir. Estávamos cheios de uma ansiedade quase insuportável. A pandemia da COVID-19 e os subsequentes lockdowns aconteceram um mês antes da inauguração agendada do The Oaks Retreat Center. Passamos de visões e planos grandiosos para 18.000m² de prédios vazios em 80 hectares no sul da Califórnia, o que não é barato. Havia mais bolas de feno rolando pelo retiro do que pessoas, e a cada mês perdíamos rios de dinheiro. Passaram-se quase dois anos antes de podermos receber hóspedes em nosso centro de retiro.

É claro que isso não aconteceu com você, mas uma versão disso acontece com todos nós em momentos e de maneiras diferentes. Em um momento, temos uma ideia fabulosa; mal podemos esperar para compartilhá-la com o mundo; e parece que tudo está indo de vento em popa — até não estar. Entende o que quero dizer? É assim que a vida funciona na maioria das vezes, e teremos de elaborar uma estratégia antecipadamente para lidar com as decepções. Se não fizermos isso, ficaremos tão distraídos pelas catástrofes momentâneas, que perderemos as oportunidades que moram bem ao lado. Quando o inevitável acontece, resista à tentação de entregar a Deus uma lista de suas tristezas. Em vez disso, faça um inventário do que você já tem e do que já está próximo.

Perto do The Oaks havia um lindo vale com um campo enorme. Em determinado momento, ele fez parte de um famoso centro de corrida de cavalo e treinamento que gerou dois ganhadores do Kentucky Derby. O campo continha um celeiro abandonado, uma pista de corrida de cavalos coberta de vegetação e 40 hectares de pastagens. Em vez de nos concentrarmos no centro de retiro que não estava dando certo, nos ocupamos com um novo plano. Compramos a propriedade, a anexamos ao nosso centro e contratamos um treinador de cavalos chamado Efrim. Ele é como um centauro. Metade homem, metade cavalo. Pelo menos é o que parece, por causa das várias coisas que ele sabe sobre cavalos e por ser tão bom com nossos hóspedes. Hoje, as pessoas nos enviam cavalos do mundo todo para que ele possa treiná-los. Quando tivemos um problema com o acampamento, em vez de desistir do nosso sonho, olhamos para o que já estava ao nosso lado.

Antes de começarmos o centro de equitação, minha única interação com um cavalo tinha sido em frente ao mercado, quando eu tinha 5 anos. Era feito de fibra de vidro e balançava para a frente e para trás por alguns minutos quando eu colocava uma moeda dentro dele. Nunca havia montado em um cavalo de verdade ou sequer alimentado um. Quando os cavalos começaram a chegar, eu não sabia de que lado colocar o feno. Mas adivinhe só? Eu descobri, e você descobrirá o que precisa saber para seguir em frente.

Ainda estávamos perdendo um rim com o centro de retiro vazio, mas fazíamos caixa treinando cavalos. Mesmo com todas as circunstâncias apontando em outra direção, resistimos à vontade de surtar ou de nos distrair com o que não estava dando certo. Não esperamos permissão para mudar de nossa bela e falha visão para outra que fosse viável; nos ocupamos encontrando uma possibilidade ao lado. Pode apostar a vida nisto: suas ideias ousadas e as decepções que você vivencia serão o chamariz para novas oportunidades e caminhos extras para suas ambições duradouras — se você tiver coragem para não se entregar.

Quando nosso esquema com cavalos começou a funcionar, uma mulher telefonou e disse que tinha uma égua de corrida para me dar. *Fantástico. Tenho um celeiro onde colocá-la, então está perfeito.* Eu não tinha perguntas inteligentes para fazer sobre ela. Então, para ganhar tempo, perguntei de que cor era a égua. No dia seguinte, a mulher deixou a égua, que era marrom com cauda preta. Acabei de contar a você tudo o que eu sabia sobre essa água.

Mais tarde, naquele ano, alguém disse que era hora de pensar em colocar para reprodução alguns dos cavalos que tinham chegado. Pesquisamos a linhagem da égua marrom e preta que me deram e o que descobrimos foi isto: ela era a tataraneta de Secretariat, o vencedor da Tríplice Coroa e um dos mais famosos animais da história das corridas. Não estou brincando. Telefonamos para a mulher e perguntamos se ela sabia que aquela égua de corrida que me deu pertencia à realeza. Ela fez uma pausa e me disse: "Sim, só quis fazer uma surpresa." *Bem, pode tirar isso da sua lista*, pensei.

E se os céus estiverem se coçando para surpreendê-lo neste exato instante? E se o plano de Deus para você for a ausência de qualquer plano claro? Se você soubesse tudo o que é necessário fazer, não precisaria mais da fé. Experimente não surtar enquanto observa as circunstâncias inesperadas que Deus vai desenrolando à sua frente.

Todos tentaremos coisas. Algumas delas funcionarão, outras não. Veja o que compartilhamos com você somente neste capítulo. Essas aventuras e desventuras não envolveram apenas acampamentos, encontros e cavalos; elas abrangeram empregos, carreiras, relacionamentos e empreendimentos comerciais. Permita-me dizer o óbvio: você conseguirá alguns empregos que deseja; em outros, será rejeitado. O mesmo vale para relacionamentos. Se você é tão ruim de namoro como eu era, talvez essas rejeições dobrem. Não se iluda pensando que tudo o que acontece com você é uma batalha cósmica entre o bem e o mal. Há uma citação famosa do autor G. K. Chesterton: "A idolatria é cometida não somente pela criação de falsos deuses, mas também pela criação de falsos demônios."[1]

Deus está no controle de tudo, mas temos que parar de nos distrair pensando que podemos controlar todos os resultados na vida. Em vez de nos distrairmos com surpresas, precisamos assumir a responsabilidade quando tivermos de fazer isso e agir quando pudermos. Os erros que cometemos não são falhas que devem ser *omitidas* de nossa vida; são marcos que nos indicam onde mais podemos aprender *sobre* nossa vida. Certo dia, ouvi a seguinte frase: "Experiência é o que ganhamos logo depois do momento em que precisamos dela."[2] Eu me identifico. Não podemos controlar qual será o resultado das coisas, mas podemos influenciá-lo se continuarmos sem distrações e antevendo que Deus não está apenas à nossa frente, mas atrás, ao lado e conosco. Isso exigirá todo o foco, a paciência, resolução e perspectiva que você conseguir reunir. Não deixe que resultados imprevistos e inesperados lhe roubem a chance de adquirir experiência e sabedoria. Acredite em mim, provavelmente você precisará delas na próxima tentativa.

Se você é como eu, a maneira como as coisas se desenrolam em sua vida pode parecer, vez por outra, uma contínua fila de "nãos" inexplicáveis. Mas você pode optar por enxergar essas circunstâncias como "sins" por dois motivos: Deus está com você, e você consegue.

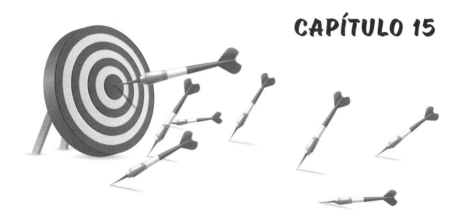

# CAPÍTULO 15

## PARE DE CORRER ATRÁS DO CAVALO

*Tudo aquilo de que você precisa está mais perto que imagina.*

Um de nossos amigos ouviu falar dos contratempos que estávamos enfrentando com o fechamento do acampamento e nos enviou um filme chamado *Compramos um Zoológico*. Se você não assistiu, faça um favor a si mesmo e veja logo, pois vai adorar. Há uma cena em que o pai, recém-viúvo, está explicando ao filho confuso e angustiado como a vida funciona. Ele diz ao garoto, com o tom de voz de um pai preocupado e carinhoso: "Você só precisa de vinte segundos de uma coragem insana. Apenas vinte segundos de bravura vergonhosa, e isso mudará tudo."[1] Concordo. E pergunto o seguinte: o que aconteceria se você tivesse vinte segundos de coragem insana? O que vinte segundos de bravura vergonhosa gerariam em sua vida?

Perto do The Oaks havia um rapaz rico que tinha um rancho enorme onde criava cavalos de corrida. Ele decidiu vender sua instalação e encontrar outras pessoas ricas a quem vender cavalos caros. Certo dia, dei uma passada no rancho dele para comprar um espalhador de esterco usado. Fiquei feliz de saber que, à tarde, finalmente seria o cara no microtrator verde da John Deere puxando um baita equipamento estrada abaixo e causando lentidão no trânsito. Sorri quando pensei na incrível jornada que tive, de advogado de tribunais a funcionário de rancho, um cargo muito mais prazeroso e adequado. Com meu espalhador de esterco em rota, sabia que, de alguma forma, isso dava alguma piada de advogado.

Só havia mais um cavalo de corrida para vender. O cavalo remanescente chamou minha atenção por ser *enorme*. Tipo, enorme a ponto de *tapar o sol*. Ele fazia os outros cavalos parecerem poodles em miniatura. Sem dúvida, eu poderia colocar uma placa na estrada para as pessoas virem vê-lo, como no caso do Maior Novelo do Mundo, no Kansas, ou o Palácio do Milho, em Dakota do Sul.

Cavalos são medidos em mãos, que é exatamente o que parece. Essa antiga prática data de uma época em que não havia ferramentas padrão de medidas. Hoje, a medida padrão de uma mão é de 10 centímetros. Essa medida era feita desde o solo até o pescoço. Esse cavalo tinha 17 mãos, o que seria como um pivô de 3,5 metros no basquete. Do casco até a cabeça, esse cavalo tinha mais de 2 metros. De qualquer ângulo que eu o medisse, esse era um animal imponente.

O proprietário perguntou se eu queria comprar o cavalo caro, e dei risada quando peguei a carteira. Só havia uma nota de US$1 dentro dela, e a tirei, para que o homem visse que aquilo era tudo o que eu tinha. "Vendido!", respondeu ele sem hesitar, me estendendo a mão direita para selar o acordo.

"Sério?", gritei em choque.

"Sim, ele é todo seu."

Evidentemente, o motivo por ele estar vendendo o cavalo tão barato era porque o animal machucara um tendão em uma das pernas, e o proprietário imaginou que seus dias de corrida haviam acabado.

Após selarmos o acordo e providenciarmos o transporte do cavalo, percebi que não havia me atentado a um pequeno detalhe. Trailers para cavalos são feitos para animais de tamanho padrão. Mas esse cavalo era tipo uma girafa, e não tínhamos um trailer grande o bastante. Depois de um aperta aqui, espreme dali, finalmente conseguimos enfiá-lo no que tínhamos e o levamos para o centro de treinamento de The Oaks. Chamei nosso novo cavalo de Red [Vermelho], porque ele era dessa cor e porque chamá-lo de "Cavalão de US$1" parecia um tanto genérico e era como deixar a etiqueta com o preço em um carro novo.

Antes de selar Red, levei-o para caminhar, segurando suas rédeas. Quando entramos em uma das pastagens vizinhas, Red se assustou e se ergueu sobre as patas traseiras. Ele já era imenso, mas daquele jeito, além de gigantesco, ficou extremamente assustador. Lá estava eu, abaixo dele, me perguntando se deveria acrescentar "ser pisoteado" às várias experiências de minha vida. Por um instante, com os cascos balançando, parecia que ele estava prestes a dar cartas. Então, suas patas dianteiras caíram — não em mim, ainda bem —, e ele arrancou as rédeas da minha mão, disparando pelo campo de 40 hectares. Sem saber o que fazer, comecei a correr atrás dele.

Não demorou muito para eu ficar totalmente sem fôlego e perceber a loucura dessa perseguição. Digo, provavelmente eu não conseguiria pegar nem um pônei, quem dirá um cavalo de corrida. Parei, me inclinei para tomar duas baforadas de ar e pensei comigo mesmo: *o que estou fazendo?* Em vez de continuar correndo atrás do cavalo pelo campo, voltei ao celeiro e peguei algumas cenouras — não para ele, mas para mim. Quinze minutos depois, Red voltou trotando para o celeiro.

O motivo pelo qual estou lhe contando essa história é que esse pequeno episódio me ensinou uma lição importante sobre distrações. Percebi que, às vezes, é preciso parar de correr atrás do cavalo e voltar para o celeiro.

Do que você tem corrido atrás? Está em busca de aceitação? Popularidade? Um relacionamento? Que tal o emprego ou a carreira dos sonhos? Você tem corrido pelos campos da vida em busca de permissão, validação ou aprovação? E se você parasse de correr atrás das coisas que nunca apanhará e voltasse para o básico da vida: sua fé, sua família, seu propósito, sua alegria e sua vida mais autêntica? Em outras palavras, volte para o celeiro e pare de correr atrás das coisas que você não conseguirá apanhar ou que não valem a pena encurralar.

Voltar para o celeiro não significa que você não tenha ambições ou está abandonando coisas que lhe são importantes. Significa apenas que está desenvolvendo mais confiança na pessoa que Deus o fez para ser. Imagine o que você poderia fazer se freasse sua vida exaustiva para se recompor, recuperar o fôlego e voltar ao básico — porque é aí que todas as coisas boas geralmente já residem em sua vida.

Na Bíblia, há uma carta que Paulo escreveu aos cristãos judeus. Ele os lembrou de que estavam cercados por algo a que chamou de "uma grande nuvem de testemunhas".[2] Eu gosto dessa imagem. Paulo lhes disse para deixar de lado qualquer coisa que os estivesse fazendo diminuir o passo, fazendo-os tropeçar ou esgotando-os. Em vez disso, deviam se concentrar nas coisas que Deus havia lhes dado. Se você encontrar essa passagem, notará que Paulo não incentivou as pessoas a olhar o que Deus estava fazendo na vida dos outros e comparasse isso com a própria vida. É como se Paulo estivesse lhes dizendo (e a nós) que parassem de correr atrás do cavalo e voltassem para o celeiro. E se, para você, o celeiro for o local em que abandona as distrações, se cerca de pessoas de confiança e encontra uma clareza renovada sobre as coisas que de fato importam?

Eu tinha certeza de que meu cavalo novo encontraria o caminho de volta para o celeiro, mas não sei se você encontrará, já que a decisão é sua e de mais ninguém. E então, o que me diz? Vamos levá-lo de volta a um lugar seguro que você possa chamar de lar. Você pode descobrir que as coisas que andava desesperado para apanhar o encontrarão lá, se parar de correr tanto.

**QUANDO EU ESTAVA NA FACULDADE, PASSEI ALGUNS** meses pegando caronas para conhecer o interior. Era uma época bem diferente, e várias pessoas da minha geração viajavam dessa maneira. É difícil imaginar pessoas tão confiáveis hoje em dia. Fui até New England e, por diversas vezes, viajei com pessoas totalmente desconhecidas. Algumas eram boas e generosas; outras, bem esquisitas. Mas eu ficava feliz, desde que chegasse até o meu destino sem muitas coisas bizarras acontecerem. Além disso, eu mesmo tinha uma aparência meio esquisita aos 19 anos, com cabelos ruivos até os ombros, jeans rasgados e camiseta manchada. Eu não precisava de muito — só uma carona e uma pastilha de menta —, mas, para ser franco, podia ter usado um par de botas para suportar o inverno, já que meus tênis desgastados estavam caindo aos pedaços.

Quando alguém parava para me dar carona, eu tentava avaliar essa pessoa antes de entrar no carro; sem dúvida, faziam o mesmo comigo. Nos arredores de Bangor, no Maine, fiquei muito tempo com o dedão para cima até uma caminhonete encostar, com um homem mais velho e mais baixo ao volante. Seu olhar era bondoso, e até suas sobrancelhas e barba espessas me pareciam gentis. Não sei exatamente por que, mas pareciam. Subi no banco do passageiro. "Meu nome é Don", disse o motorista, estendendo a mão com hesitação. Aparentemente, Don não tinha sobrenome, e, por mim, tudo bem. Tipo Jesus, MacGyver ou Cher, imaginei.

Batemos altos papos estrada afora. Ele me perguntou sobre minhas aventuras, e eu lhe perguntei sobre sua vida. O que soube me surpreendeu. Don me contou que vivia no bosque feito eremita. *Então o que você está fazendo aqui me dando carona?*, pensei de imediato. Não vou mentir, achei que aquilo poderia acabar mal. Se existisse podcasts na época, eu poderia ter me imaginado como tema de um programa de oito partes sobre um jovem e feliz caronista sequestrado por um eremita. Na verdade, me parece uma premissa muito boa. Talvez eu a leve para a Netflix.

Eu já tinha ouvido falar sobre eremitas, mas nunca conhecera um. Fiquei bem curioso sobre Don. Como era sua casa? Será que ele tinha uma? E o animal de estimação? Seria um caranguejo-eremita? Só estou dizendo que faria sentido. Ele conversava com esquilos? Ele travava batalhas de polegares consigo mesmo? Minha mente estava a todo vapor.

Eu não percebi que havia ficado tanto tempo esperando uma carona porque, assim que entrei no carro de Don, o sol começou a se pôr. Logo anoiteceria, e eu não tinha chegado a nenhum lugar onde poderia passar a noite. Don devia estar fazendo os mesmos cálculos. "Logo vai escurecer. Você tem lugar para ficar?", perguntou ele. Respondi que não, e ele, como quem não quer nada, me convidou para ficar em sua casa. Lá estava eu, pegando carona com um cara que parecia uma mistura do Eufrasino com o Papai Noel. Em um momento brilhante de tolice, aceitei o convite.

Ficamos mais uns instantes na estrada, e a noite caiu. Sua entrada para carros era um trecho de cascalho não delimitado em uma rodovia estadual de duas pistas. Se eu tivesse problemas sérios, não haveria nenhum meio de comunicar minha localização. Não que isso fizesse diferença, porque, enquanto descíamos o caminho estreito até sua casa, Don me contou que não tinha telefone. Ou eletricidade. Ou água encanada. Ele obtinha energia de um tanque de propano, suficiente para aquecer um forno pequeno. Tirava água com o balde de um poço atrás da casa, trocando-a com os vizinhos por qualquer coisa de que precisasse. Pense em uma vida sem distrações.

Enfim chegamos, e provavelmente você adivinhou o visual da casa. Era um pequeno barraco, com um telhado inclinado sobre uma varanda frontal. Havia uma única janela ao lado da porta da frente, com uma luz fraca movida a bateria brilhando no bosque ao redor. Eu estava um pouco ansioso para saber quantas camas havia lá dentro. Eu duvidava de que o lugar poderia conter um pouco mais que algumas camas dobráveis. Don parou ao lado da pitoresca estrutura, saímos e, uma vez lá dentro, ele fechou a porta.

Obviamente, se estou aqui escrevendo essas coisas, eu não morri. Na verdade, passei ótimos momentos com Don. Não tinha certeza de como as coisas se sairiam, mas fiquei positivamente surpreso. Não passei só uma noite com Don. Passei um mês lá.

Talvez você esteja se perguntando por que fiquei tanto tempo. Não sei se tenho uma resposta direta para dar. Eu era jovem e estava em busca de aventuras. Também não tinha nenhum outro lugar para ir. Eu era muito pobre, e, no fim das contas, Don se revelou gentil, sensato e atencioso. Nunca descobri por que ele virou eremita ou se havia outras pessoas em sua vida. Mas o fato de ele ter me convidado para ficar em sua casa sugeria que talvez precisasse de um amigo — como todos nós, em certa medida. Eu era um cara curioso e, contanto que minha vida não estivesse muito em perigo e vivesse aventuras, estava disposto a praticamente qualquer coisa, a qualquer hora, em qualquer lugar, incluindo uma estadia prolongada no que comecei a pensar ser o Hotel Eremita — "Onde as camas são de graça e você não precisa dar descarga."

Don e eu rapidamente estabelecemos um ritmo diário, dividindo várias tarefas. O dia começava com a fabricação de castiçais, que mais tarde deixaríamos na casa de diferentes pessoas. Fazíamos bases de castiçais cortando pedaços redondos de cobre e, então, martelando-os em um toco de árvore com uma reentrância. Em seguida, aquecíamos as hastes de latão com um maçarico e as dobrávamos antes de soldar uma placa redonda para captar a cera que pingava. Por fim, cortávamos um pedaço de cano de cobre para fazer um anel que segurasse a vela de cera, soldando-a no lugar. Limpávamos a casa, fazíamos um café da manhã simples, entregávamos os castiçais e, muito mais tarde, líamos um pouco. Era de uma simplicidade mágica, e éramos praticamente um casal.

Quando os castiçais eram entregues, cada família nos convidava a pegar aquilo de que precisávamos em seus pomares ou em pilhas de madeira. Uma das casas era famosa no local por sua grande plantação de ruibarbo. Pegávamos os talos, os levávamos para casa e fazíamos tortas de ruibarbo para entregá-las na manhã seguinte em troca de mais vegetais, sabão em barra, lapiseiras e manteiga. Tínhamos quase tudo de que precisávamos (exceto papel higiênico). Certa vez, Don trocou várias tortas por um pneu de caminhão usado, e em outra, por uma bateria de carro. As tortas que fazíamos eram como bitcoins açucarados. Descobri que era assim que Don vivia sua vida de eremita — usando o que tinha ou que sabia criar para conseguir quase tudo de que precisava.

**ACREDITO QUE A MAIORIA DE NÓS DESEJA SIMPLES**mente que nossa fé seja mais real, mais dinâmica e mais conectada com as pessoas ao redor. O problema é que não usamos o que já temos para conseguir aquilo que de fato precisamos. Complicamos nossa vida e nos distraímos com coisas de que não necessitamos ou que não queremos. Vivemos em comunidade, mas parecemos viver feito eremitas. Temos familiares que amamos, mas vivemos como se estivéssemos sós. Achamos que podemos trocar a boa conduta pela graça de Deus, mas não podemos. E, quando tentamos fazer isso, parecemos órfãos. Todos nós queremos que nossa fé pareça funcionar, mas menosprezamos a beleza e a autenticidade de deixar as pessoas ao nosso redor perceberem quando estamos perdidos e magoados.

Acredito que a mesma coisa acontece em nossas comunidades religiosas todos os dias. Queremos saber em quem podemos confiar e quem devemos deixar passar reto, quem acompanhar e quem evitar. Resumindo, estamos tentando descobrir como viver nossa fé e com quem fazer isso. Deus não nos deixou sozinhos; Ele nos deu uns aos outros. Deu-nos comunidades religiosas nas quais aprofundar e nos deu Seu filho. Trocando em miúdos, não precisamos mais viver como eremitas. Precisamos nos voltar para as versões mais reais de nossa fé e para as versões mais autênticas de nós mesmos.

Há muitos cristãos que vivem como eremitas em suas expressões pessoais de fé. Talvez, em algum momento, eles tenham se distraído e começado a se importar mais com a aparência de sua fé do que com o que ela de fato era. Talvez suas opiniões sobre as pessoas de quem discordavam tenham começado a bloquear sua visão dessas mesmas pessoas que Deus fez à Sua imagem. Talvez tenham sido traídos ao longo do caminho por alguém que afirmou estar seguindo Jesus, mas que agia de outra forma — alguém que disse que amava Deus, mas que agia como se não gostasse das pessoas que Ele fez.

Era outono no Maine, e as folhas estavam começando a ganhar cores. Era hora de ir embora, e logo Don me daria uma carona até a estrada para que eu pudesse começar a pegar caronas para o sul. Acordamos cedo, comemos pedaços enormes de torta de ruibarbo, entramos em sua caminhonete e voltamos pela estrada de cascalho. Despedimo-nos e, enquanto eu saía do carro, Don estendeu a mão até o banco traseiro e me entregou uma sacola. Suas botas estavam lá, para me ajudarem no inverno. Ainda as tenho. Foram um lembrete carinhoso de que, se estivermos dispostos a dar as caras, Deus nos dará aquilo de que precisamos e alguém com quem compartilhar.

Todos nós estamos correndo atrás de algo, e alguns de nós passam uma quantidade absurda de tempo correndo das coisas. Quando reflito sobre esses momentos em minha vida, me pergunto o que eu estava perseguindo e se valia a pena correr atrás dessas coisas ou se era melhor largar mão. Aposto que você sabe como é, e tudo bem se não tiver entendido tudo. Na verdade, se acha que entendeu, deveria começar a se preocupar. Já na faculdade, eu sabia que, no fundo, eu não queria uma vida típica. Queria viver fora da caixinha. Com Don acabei vivendo por um tempo fora da rede também. No dia em que o conheci, achei que precisava apenas de uma carona e de um par de botas. Deus me deu muito mais que isso, e também me mostrou como eu poderia me aprofundar em minha fé. Don e eu tivemos de nos arriscar um pouco para aprender essas lições. Se você quiser se aprofundar em sua fé, talvez precise se arriscar também. Meus momentos com Don me mostraram que deixar as distrações de uma vida típica pode nos mostrar aonde queremos ir. Tente fazer isso. Talvez você não precise erguer o dedão e começar a pegar carona, mas pode estender a mão e cumprimentar um estranho, amá-lo sem segundas intenções e ir embora transformado.

Para viver uma vida de propósito grandioso, pare de correr atrás do que está apenas disponível. Em vez disso, volte para seu santuário — uma família, um lar, um amigo, uma casa na árvore, o que for — e deixe de lado tudo o mais que esteja disputando sua atenção. Somente com esse foco e com a alegria que Deus lhe deu é que você poderá encontrar o caminho para a vida que imaginou.

# CAPÍTULO 16

## EXPULSOS DE ÁGUAS RASAS

*Uma vida não examinada é uma névoa de distrações que obscurece por inteiro nossa identidade; só os brutalmente honestos estão dispostos a ver um panorama renovado, maior e melhor.*

Meu bisavô estava voltando para casa do trabalho quando foi atingido por um trem. Quais são as chances? É estranho ter esse tipo de destino na árvore genealógica. Será que pula uma geração e você pode ser o próximo? Conforme conta a tradição familiar, as pessoas que o encontraram o colocaram em uma carriola, o levaram até sua casa e o deixaram à porta de entrada, onde na manhã seguinte meus parentes distantes o encontraram. Ao que parece, elas sequer bateram à porta, mas não as culpo.

Quase um século depois, eu, já advogado, trabalhava em um caso que me exigiu ir até o leste de Oregon, onde meu bisavô tinha morado. Eu havia passado meses em busca de um cara que surrupiou um bom dinheiro de algumas pessoas em um acordo imobiliário. Anos antes, ele havia deixado a cidade depois que sua empresa se mudou para o sul, assumido uma nova identidade e deixado várias pessoas na mão, com os milhões que tinha ganho. O homem era tão desonesto, que eu tinha certeza de que teriam de parafusá-lo na terra quando ele morresse. Ele também fez um bom trabalho desaparecendo. Fazia anos, e eu me perguntava se um dia o pegaria.

Tive sorte quando a esposa dele assinou, por engano, a revista *Redbook* com seu nome anterior. Meus investigadores particulares haviam colocado avisos, alertas e mecanismos de disparos na internet em busca de seus nomes. A assinatura da revista me forneceu um endereço de devolução, portanto, eu sabia exatamente onde atender à convocação judicial. Ele foi intimado a depor na cidadezinha do Oregon onde estava escondido. Aposto que, quando ele soube como o encontrei, houve uma discussão estressante no jantar com sua esposa. Caso você nunca tenha ouvido falar, um depoimento é um testemunho com vínculo judicial que um advogado pode apresentar ao tribunal como fato, sem que haja uma pessoa no banco das testemunhas. Se você consegue tomar o depoimento de alguém, é a mesma coisa que ser chamado como testemunha no tribunal.

Quando ele chegou para depor, as primeiras perguntas que fiz foram sobre sua árvore genealógica. Assim, eu saberia como encontrá-lo, se ele sumisse de novo. Ele me contou sobre os irmãos e irmãs e falou o nome de seus pais. Em seguida, disse os nomes dos avós e de outros parentes nos ramos mais altos, e as coisas começaram a ficar um tanto estranhas. Quanto mais escalávamos a árvore genealógica, mais os nomes me soavam estranhamente familiares. Fiz mais algumas perguntas pontuais, sentindo cada vez mais que estava descobrindo algo importante. Acontece que ele era meu parente. Caramba! De novo, quais são as chances?

Quando o depoimento acabou e todos começaram a sair, perguntei se ele tinha ouvido falar do trágico incidente com meu bisavô, o que foi atingido pelo trem. Perguntei se ele tinha um lugar de descanso (além da porta de entrada) que eu poderia visitar para prestar homenagens. O homem riu e respondeu: "Ele não foi atingido por um trem. Ele fugiu da família, abandonando-os em pleno deserto do leste do Oregon." Então, tudo se encaixou. Os familiares, abandonados e com vergonha, bolaram uma história inteligente e macabra para explicar a terrível circunstância. Eles inventaram uma história para camuflar a dor que vivenciaram. Evidentemente, todos desse ramo específico da minha família doida sabiam que não era verdade — exceto eu. Algumas mentiras custam a morrer.

No fim, meu parente desonesto devolveu cada centavo que roubou. Ele não fez isso porque era um sujeito bom, mas porque eu era um advogado muito bom. Ao menos, essa é a história que contei a mim mesmo.

Não temos muitas reuniões de família. Ou, se elas estão acontecendo, não ando recebendo convites. Por mim, tudo bem. Talvez algum dia eu tome mais depoimentos e coloquemos a conversa em dia.

É inquietante como contamos histórias a nós mesmos para tapar o sol com a peneira. Ou às vezes não reconhecemos nenhuma história e afogamos nossos momentos vergonhosos em total silêncio, esperando que eles simplesmente desapareçam. Aqui vai outro breve exemplo de quando eu era jovem.

Meu pai tem somente nove dedos e meio. Ele é um ótimo pai, um sujeito gentil e humilde, um bom amigo e meu vizinho de porta. Evidentemente, quando era um jovem corajoso das forças armadas, eles recebiam treinamento para lançar granadas. Tinham essas versões de exercício que explodiam, mas não com a mesma intensidade de uma granada de verdade. Aposto que as instruções eram bastante diretas: passo um, puxe o pino; passo dois, arremesse. O primeiro passo meu pai acertou, mas não o segundo. A granada explodiu em sua mão, e, como consequência, ele perdeu meio dedo.

Quando eu era criança, ele nunca falou a respeito. Nem sequer uma vez. Anos depois, soube que era uma granada de exercício. Meu pai era, e é, um sujeito corajoso, então provavelmente não quis transformar seu ferimento em drama. Ele sabia o que havia acontecido, mas eu não, portanto, bolei minha própria história para explicá-la a mim mesmo. Veja só: eu me convenci de que tinha dedos demais. Loucura, não? Mas é o que fazemos quando não conhecemos a verdade e guardamos em silêncio o desconhecido. Inventamos histórias para normalizar o que não sabemos; construímos realidades alternativas mais fáceis de serem compreendidas por nossa mente e nosso coração. Pensar que eu tinha dedos demais com tão pouca idade foi uma explicação razoável, na ausência de uma explicação de meu pai. Entendo o que aconteceu. Meu pai me amava e estava tentando ser um ótimo pai ao não conversar sobre seu ferimento. Sei que parece ridículo, mas a história que inventei parecia de verdade e fazia sentido para meu cérebro jovem. Você se lembra do feriado de Ação de Graças no ensino fundamental? O projeto de arte era *sempre* fazer um peru com seus dedos esticados. Minhas penas nunca eram tão compridas quanto as dos outros alunos. Para o peru, eu dobraria o dedo anelar até a metade porque meu pai não tinha a metade do dele.

Quando inventamos histórias para explicar o que não entendemos, criamos mais confusão para nós e para as pessoas ao redor. Isso nos dá uma falsa sensação de controle, mas, na verdade, nos enganamos com uma mentirinha. Inventamos uma história crível que é mais fácil que a verdade dolorosa ou mais complicada.

**O CÉREBRO DE UM ADULTO PESA CERCA DE UM 1,3KG. SE** o seu é bem grande, a balança chegará a cerca de 2kg. Minha pergunta é: com o que você está enchendo seu cérebro? Está carregando quilos e quilos de distrações e histórias inventadas na cabeça? Annie Dillard, em seu livro *The Writing Life* [A Vida de um Escritor, em tradução livre], disse algo como: "Cuidado com o que você aprende, pois é isso o que saberá."[1] Se você só aprende meias-verdades, viverá a vida apenas pela metade. Para viver plenamente, você precisa saber toda a verdade a seu respeito, porque apenas a verdade lhe dará uma visão clara sobre o rumo que está tomando.

O problema é que nem sempre podemos escolher em que acreditar sobre nós mesmos. A maior parte é imposta por nossos pais, professores, pastores e amigos antes de termos recursos para dizer: "Ei, alto lá! Isso não parece certo." Mais tarde, gastamos muito tempo e energia emocional tentando desenredar as histórias que nos contaram ou preenchendo lacunas naquelas que ninguém nos contará.

Experimente este exercício: pense em si mesmo aos 5, 10, 15 e 20 anos. Se você é bem mais velho, pense si mesmo aos 30 ou 40 anos. (Se for tão velho quanto eu, ir mais longe fará a cabeça doer.) O que diria a si mesmo nessas fases para se dar acesso à verdade da qual poderia precisar mais tarde?

"O Elmo é uma marionete." (À criança de 5 anos.)

"Você entrará no time ano que vem. É só continuar acreditando." (À criança de 10 anos.)

"Sei que agora dói, mas a pessoa certa aparecerá." (Ao adolescente de 15 anos.)

"Tudo bem sentir medo. Você fará melhor do que mal conseguir pagar o aluguel. Confie em mim." (Ao adulto de 20 anos.)

"Se continuar trabalhando duro assim, perderá o que mais importa para você." (Ao adulto de 30 anos.)

"Sua vida não desmorona quando você faz a tal da grande mudança para o emprego de remuneração mais baixa na carreira que sempre quis." (Ao adulto de 40 anos.)

Obviamente, esses exemplos são todos hipotéticos (exceto o do Elmo, que é real). Mas meu palpite é o de que, se pudéssemos voltar atrás, dissiparíamos mitos e crenças equivocadas que, de alguma forma, enxertamos em nossa identidade. Pouparíamo-nos do problema e da dor de cabeça de vivê-los e carregá-los conosco. Seja honesto; provavelmente também nos diríamos como apostar em cada Super Bowl e quando comprar ações da Apple e da Amazon. Só estou dizendo. Desejaríamos que nossa vida fosse mais verdadeira e mais alinhada com as realidades que, mais cedo ou mais tarde, aprendemos do jeito mais difícil.

Agora faça mais um exercício comigo. O que você precisaria ouvir neste exato instante se seu futuro eu viesse ajudá-lo? Estou falando de você hoje, de você deste *exato instante*.

Aposto que você sabe algumas verdades que precisa aceitar mas tem muito medo de compreender. Elas estão espreitando sob a superfície de seu coração e de sua mente. Continuam batendo à porta pedindo para entrar, mas você hesita em recebê-las por conta do que acredita que elas custarão. Uma pergunta: o que é melhor — seguir aos trancos e barrancos com uma meia-verdade ou prosperar com uma verdade completa? Já sei minha escolha, e aposto que você também sabe.

Certas pessoas se veem guiadas pelo destino, pelo acaso, pela boa sorte ou por uma combinação deles. Outras estão apostando que um carma não utilizado as ajudará. Eu não apostaria minha casa nisso. Apostei tudo acreditando que Jesus ainda está vivo e ativo no mundo. Existem algumas explicações cognitivas de alto nível para a maneira como o mundo funciona, mas, no fim, são as pessoas e as experiências que nos moldam. Talvez seja melhor dizer que *o que absorvemos* dessas pessoas e experiências é o que nos molda. Entender como estamos conectados ajudará a evitar distrações e a encontrar alegria e propósito em nossa vida.

Inventamos regras para manter as histórias no lugar como andaimes. Mas os andaimes que montamos podem virar uma prisão. As regras que inventamos estão aí para apoiar as histórias que elaboramos; e as histórias que bolamos para explicar os eventos que não entendíamos quando éramos mais jovens se tornam as distrações que nos separam de nós mesmos e das outras pessoas. Em determinado momento, todos nós precisamos nos perguntar se as histórias e regras que construímos ainda estão sendo úteis. Se tivermos coragem o suficiente para afirmar que sua vida útil expirou, poderemos agradecê-las pela ajuda temporária que deram (ainda que tensa) e jogá-las na lata de lixo.

Assim como seus pais, os meus eram novatos. Se tem filhos, você também é. Se ainda não tem, talvez algum dia você tenha a chance de ser um estreante na criação dos filhos. Meus pais queriam que eu me comportasse, e entendo totalmente. Eu era uma criança cheia de energia, que sempre parecia ter queimado as sobrancelhas em alguma explosão no dia anterior. Eu dava muito trabalho para meus pais. Quando fazia o que aprovavam, eles me davam amor e afirmação, pois eram pais incríveis. Era ótimo, como tinha que ser. Quando eu me comportava de uma forma que eles desaprovavam, bolava na minha cabeça uma história que eles teriam que tirar amor de mim. É claro que não era sua intenção me fazer sentir assim, pois eram ótimos pais. Mas aprendi uma coisa ou outra com a maneira como eu percebia as coisas quando jovem.

Primeiro, a história que elaborei definia o amor como algo que seria dado e tirado para controlar meu comportamento. Eu me convenci de que não se podia confiar 100% no amor; ele não era uma extensão da segurança e da aceitação, mas uma ferramenta para controlar a conduta. Segundo, e mais insidiosamente, eu me convenci de que ser abandonado emocionalmente era uma possibilidade em um relacionamento. Para mim, não era verdade, porque meus pais me amavam, mas a sensação era verdadeira. Concluí, muito jovem, que isso poderia acontecer comigo, e sem perceber nada ou muito pouco. Mais ou menos como se perder em um parque de diversões ou ser largado em uma esquina longe de casa. Tive uma sensação profunda e permanente de que, sem aviso prévio ou alerta, seria abandonado e estaria sozinho na vida, e essa crença moldou a maneira como lidei com relacionamentos nas várias décadas seguintes.

O que você acha que eu diria a mim mesmo se pudesse voltar? Acredito que explicaria ao garotinho que seus pais o amavam e que ele não precisava se sentir tão inseguro. Eu lhe diria que as pessoas farão o melhor que puderem, mas que ainda assim cometerão erros. Diria que, vez ou outra, ele também falharia; apenas encontraria maneiras novas e diferentes de fazer isso. Eu o lembraria de ser para seus filhos aquilo que precisou da parte de outras pessoas. E confirmaria que Deus nunca o deixará ou o rejeitará.

**SEJA HONESTO CONSIGO MESMO. ALGUMAS DAS HISTÓ**-rias às quais nos apegamos estão nos atrapalhando. Contarei uma breve história de quando um jovem recentemente me ligou para pedir ajuda. Esta é a conversa:

"Ei, Bob, estou tentando descobrir como deve ser minha próxima carreira. Quero mudar, mas me sinto preso."

"Bem, me conte um pouco sobre o que você acha que é capaz de fazer", pedi-lhe.

"Er, na verdade, nunca pensei a respeito. Até agora, tipo, só comecei meu último trabalho quando era jovem e continuei nele até decidir que precisava mudar."

Para iniciar uma reflexão mais aprofundada, perguntei: "Você já pensou em escalar o Monte Rainier?" Essa montanha incrível fica perto de onde ele morava.

"Nunca faria isso", respondeu ele. "Veja, tive uma lesão cerebral quando era mais jovem, e esse tipo de coisa está além dos meus limites."

"Eita, cara, parece terrível. Lamento saber disso." Perguntei-me o que poderia ter acontecido, mas não quis me intrometer. "Você parece gostar de conversar com as pessoas", observei, mudando de assunto. "Com base nesta conversa, posso dizer que você é bastante bom nisso. Já considerou falar em público?"

"Oh, nunca conseguiria. Tive lesão cerebral, lembra?"

Percebi um padrão se formando, então fui rápido no gatilho para testar minha teoria.

"Que tal auxiliar jurídico?"

"Lesão cerebral."

"Salto com vara?"

"Lesão cerebral."

"Nado sincronizado?"

"Lesão cerebral."

"Girar uma placa na esquina de uma rua?"

"Lesão cerebral."

Estou exagerando um pouco, mas você captou a mensagem. Quando era novo, ele contou a si mesmo uma história que se tornou *a* narrativa dominante de sua vida inteira. Em português claro: esse problema não é só *dele*. É *nosso*. Temos uma experiência, um revés ou uma decepção, e se isso não for compreendido de maneira saudável, poderá se tornar um tsunami em nosso passado que invadirá a terra seca mais do que deveria.

Perguntei a meu amigo se ele estaria disposto a participar de um experimento. Pedi a ele que tentasse passar um dia inteiro sem dizer a ninguém, nem uma vez sequer, que havia tido lesão cerebral quando era jovem. E, então, que tentasse passar uma semana, depois um mês, sem contar essa história factualmente precisa, mas funcionalmente debilitante, e verificar se a narrativa exercia menos controle sobre ele. Não estou defendendo viver em negação; pelo contrário, estou dizendo que quero retomar algumas histórias, mesmo as verdadeiras, que podem estar prejudicando nosso progresso. O que nos aconteceria se fizéssemos a mesma coisa?

Temos um cais atrás de nossa casa em San Diego. Certa noite, caminhei até o fim dele e notei um cardume de peixinhos fazendo barulho na superfície da água. Eram como 10 mil gotas de chuva caindo em um círculo de 10 metros. Fiquei maravilhado com a quantidade de peixinhos que chegaram à superfície. Então me ocorreu que provavelmente havia uns peixes grandes abaixo deles, dos quais os peixinhos estavam tentando fugir. Eles estavam sendo levados para as águas rasas pela ameaça do que havia por baixo. Se quisermos eliminar algumas distrações em nossa vida, precisamos descobrir quem ou o que está nos perseguindo nas águas rasas.

Seu coração e sua mente são um oceano de infinitas possibilidades e promessas. Todos viemos ao mundo com traços de personalidade inatos. Infelizmente, não os escolhemos, ou eu teria optado por ser um comediante-presidente-astronauta-cantor de música country e trapezista. Também não podemos escolher as meias-verdades ou mentiras que as pessoas mais próximas de nós adotam e em que acreditam. Mas isso só vale para quando somos muito jovens. Agora você e eu temos certa experiência de vida, alguns quilômetros rodados e viagens ao redor do sol. Como resultado, você tem total capacidade para percorrer a história de sua vida a fim de descobrir suas origens. Comece a definir a pessoa que deseja ser. Não se deixe distrair pelas histórias retratadas em seu histórico familiar. Não perca a chance de conhecer o real. Não se permita morar em uma poça quando sua vida foi feita para ser tão profundamente vivida, como em um oceano.

# CAPÍTULO 17

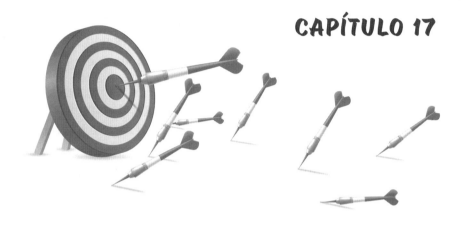

## "OH, MEU DEUS!"

*Se sua ousadia deixa as pessoas desconfortáveis, você está no caminho certo.*

Existe uma teoria chamada Navalha de Occam. Ela contém muitos princípios, mas sua essência é: a explicação mais simples geralmente é a correta. Em vez de nos distrairmos com tudo o que acontece ao nosso redor e com as histórias complicadas que ficamos juntando na cabeça, tente a explicação mais simples. Geralmente, essa é a correta. Algumas pessoas com quem você se relaciona se tornaram distrações? O fato de seu namorado ou namorada chegar sempre atrasado(a) incomoda você? Adote a explicação mais simples. Talvez o relógio dele(a) esteja dez minutos atrasado. Seu amigo o interrompe constantemente? Talvez a audição dele esteja enfraquecendo. Não deixe isso se transformar em uma distração ou obsessão. Pense nisso como um passe livre. A explicação mais simples *não é* que seu (sua) namorado(a) não se importa mais com você, e a falta de pontualidade não indica que ele(a) não o respeita.

Estava em Uganda com meu amigo Gregg. Estávamos hospedados em uma pequena estrutura no meio do mato e havíamos chegado cedo, esgotados por ficarmos muito tempo atravessando o país. Algumas horas depois, acordei com o ronco de Gregg. Parecia uma britadeira, e ele emitia sons pavorosos enquanto dormia. Não era natural, simples assim. Fiquei horas deitado na cama, olhando para o teto, ouvindo o barulho implacável do ronco sacudindo os pregos do telhado e as janelas. Se eu tivesse uma arma de choque, teria usado nele. Exausto, me perguntei até que ponto eu estaria encrencado se colocasse um travesseiro na cara dele e o matasse. Por um lado, parecia um ato de bondade ajudá-lo a se livrar desse mal. *Além disso, tenho imunidade diplomática*, pensei. Perguntei-me se isso se sustentaria no tribunal. *Ou talvez eu possa me apoiar num apelo de autodefesa. Quem sabe? A vida na cadeia é um desincentivo cada vez menor para um cara como eu, já na casa dos 60.* Tais eram as reflexões de um homem frustrado e privado de sono.

Estava citando *Hamlet* a mim mesmo às 2h da manhã e ainda não tinha pregado o olho. Felizmente, o sol nasceu algumas horas depois, e entrei aos tropeções na sala principal onde Gregg já estava de pé. Entrei e olhei para ele com meu olhar mais incrédulo de pistoleiro. "Cara, você precisa de uma operação ou algo do tipo. Nunca ouvi ninguém roncar como você. Nunca sequer ouvi falar de alguém que ronca tão alto como você." Gregg olhou para cima, um pouco surpreso e irritado, e respondeu: "Eu? Bob, nunca ouvi ninguém roncar tão alto como *você*. Não dormi um minuto a noite toda. É por isso que estou acordado."

Como é que é? Nem preguei o olho; como poderia estar roncando? Não convencidos, ainda continuávamos apontando o dedo um para o outro e procurando metáforas sobre como o outro roncava na noite anterior enquanto saíamos pela porta da frente para nos sentarmos na varanda. Naquele momento, o som horrível daquele ronco lamentoso e retumbante nos cercou. Seguimos os ruídos até os fundos da cabana. Lá encontramos uma vaca enorme, que passou a noite toda acordada dando à luz um bezerro.

Lembre-se da Navalha de Occam. Não seja tão duro com os outros. Nem sempre as coisas são o que parecem ou como soam.

**VOCÊ SERÁ MAL COMPREENDIDO E COMPREENDERÁ** mal certas coisas. Simples assim. Isso acontecerá o dia todo, todos os dias, e duas vezes aos domingos — talvez três, se você fizer sermão na igreja, tiver um adolescente ou for um adolescente. Às vezes você não compreenderá nem a si mesmo, o que é uma loucura, pois você está sempre na própria companhia. Também compreenderá mal as outras pessoas. Não uma vez na vida e outra na morte, mas constantemente. Se você não está ciente de que isso vem acontecendo, compreendeu mal esse fato também. Ter falta de conexão e erros previsíveis é como ter um pedaço de alface preso no dente. Todo mundo percebe, mas você ainda não descobriu.

Eu poderia lhe falar sobre as cinco maneiras de nos comunicarmos melhor e como poderíamos trabalhá-las melhor, ou sobre três técnicas para ouvir e melhorar a clareza de nos comunicarmos. Como alternativa, e se simplesmente passarmos por tudo isso e, ao contrário, ficarmos mais à vontade com as pessoas que simplesmente não "nos entendem" e pararmos de nos distrair quando isso acontecer? Para algumas pessoas, essa proposta é simplesmente impensável. Quando ocorre outro mal-entendido, ele suga todo o ar do recinto. Você é assim? Se for, tenho três palavrinhas úteis para lhe dizer: *pare com isso.*

Ficar obcecado por mal-entendidos previsíveis distrai todos ao seu redor, enquanto você tenta esclarecer tudo. E se criarmos uma estratégia antecipada, em vez de lidarmos com o mal-entendido? Há uma chance de você ficar livre desse problema persistente, dessa fonte constante de distrações.

Conforme-se com a ideia de que certas pessoas ficarão intrigadas com o que você diz e faz. Em vez de se distrair com isso, apenas admita, entenda e cresça. Para de transpirar, se arrepender, olhar por cima do ombro, repassar conversas antigas na cabeça e esperar um resultado diferente. Quando sopramos a espuma do topo, o que muitas vezes é mais doloroso em sermos mal compreendidos é o desafio mais profundo em relação a nossos motivos, nossas intenções ou nossos valores subjacentes. Não se deixe abater por esses desafios; entenda a natureza e a inevitabilidade dos mal-entendidos e eliminará todo o poder que eles exercem sobre você.

Seguir Jesus significa ser constantemente mal compreendido. É claro que dói. Ninguém procura isso ou gosta de se sentir atacado ou repreendido. A verdade é que, muitas vezes, o mal-entendido leva à desconexão. As pessoas que não "o entendem mais" provavelmente encontrarão um jeito de criar distância entre elas e você. Não desanime se isso acontecer. Mataram Jesus quando Ele foi mal compreendido. Então, o que é um dia ruim para você? Jesus estava conversando com Seu Pai e Lhe disse que honrara Deus finalizando a obra que recebeu.[1] E se você puser um freio em todas as distrações e terminar o trabalho que recebeu, em vez de se preocupar com o que todos sentem em relação ao que está fazendo?

Se terminar o trabalho que Deus lhe deu incomoda alguém, provavelmente você será excluído de alguns grupos de e-mail ou não será convidado para certas reuniões. Grande coisa. Deixe essas decepções rolarem como água nas costas de um pato. Você não precisa de uma pele mais grossa; precisa de mais consciência, perspectiva e de um senso de propósito inabalável. Não me entenda mal; não estou dizendo que nossa meta deve ser o mal-entendido. Mas talvez, apenas talvez, possamos parar de ficar obcecados quando isso acontecer de novo.

**NUNCA FUI MUITO BOM EM SABER O PREÇO DAS COISAS.** Vou à loja e ainda acho que posso comprar calças jeans por US$6. Algumas das peças vendidas hoje em dia parecem ter lutado nove rounds com um guaxinim e custam centenas de dólares, só porque estão rasgadas e desfiadas. Simplesmente não entendo.

Com nosso trabalho no The Oaks, eu precisava de algo um pouco mais robusto para transportar os trailers dos cavalos, do gado e o feno. Um Prius não bastaria, simples assim. Fui à concessionária e encontrei uma caminhonete com tapetes de borracha, em vez de carpete. Como estava bem detonada, achei que poderia pagar e pedi ao rapaz que fizesse a papelada. Quando ele me disse o preço, fiquei surpreso. Era o dobro do que paguei por todo o meu ensino universitário.

Entrei nos anúncios de vendas e encontrei uma caminhonete usada, com 160.000km rodados, e conheci o jovem que a estava vendendo barato. Era exatamente o que estava procurando, e fui embora com o veículo. No caminho de casa, senti um cheiro forte de sabão, mas achei que seria algo passageiro. Tenho um amigo que tem o olfato de um beagle, mas eu nunca tive um olfato lá muito sensível. Claro, consigo detectar cheiros se alguém se encher de perfume ou colônia vagabundos ou deixar escapar um no elevador. Fora isso, porém, não presto muita atenção em aromas. Baixei as janelas do veículo, pensando que poderia arejar a cabine de minha nova-velha caminhonete no caminho para casa. Uma última fungada quando encostei no meio-fio, e cheirou como se eu tivesse acertado e o odor sumira.

Na manhã seguinte, voltei para a caminhonete para tratar de um assunto e, quando abri a porta, saiu o mesmo cheiro forte de sabão, como bolhas de uma máquina de lavar cheia demais. Tive que dirigir várias horas até Los Angeles para um casamento, e o cheiro de sabão estava realmente começando a me incomodar. Achei que, se não conseguisse acabar com ele abrindo as janelas, acabaria pelo calor. Coloquei o aquecedor no máximo, e durante as três horas seguintes até Los Angeles e três horas de volta para casa, tentei queimar o cheiro de sabão. Tirei a camisa no processo, mas fiquei satisfeito quando cheguei em casa, por ter resolvido o problema. Uma última fungada para confirmar que eu vencera a batalha dos cheiros ao chegar em casa — e, como suspeitava, tinha certeza de que acabara com aquilo. A vitória era minha, de fato. O cheiro representava todas as coisas erradas no mundo, mas eu era o equivalente a um guerreiro de bicarbonato de sódio, e essa distração ruiu aos meus pés.

Na manhã seguinte, quando voltei para a caminhonete, abri a porta e lá estava o mesmo cheio de sabão. Você já ficou tão preso a algo que temporariamente perdeu a cabeça? Digo, totalmente descontrolado, se apegando completa e irracionalmente a algo que não deveria importar tanto? Foi exatamente o que aconteceu comigo, e de alguma forma me encontrei na loja de estofados de veículos. Joguei as chaves da caminhonete-sabão no balcão e pedi ao pessoal que reformassem o interior do veículo por completo, com bancos de couro, carpete etc. Se tinha que pagar para me livrado do cheiro, então que investisse no conforto, certo? Três dias depois, peguei a caminhonete e abri a porta. Tinha cheiro de vaca morta — e de sabão. *Nããão!*

Entrei na caminhonete com a cabeça baixa e o nariz tapado. Estendi a mão para colocar os óculos de sol no suporte pendurado no teto, e, ao fazê-lo, senti uma coisa presa no compartimento. Puxei-o e encontrei um aromatizador de US$0,25 em formato de barra de sabão. Percebi, naquele momento, que havia gastado US$2 mil para resolver um problema de US$0,25. Quando damos atenção irracional a uma distração, ela pode se tornar uma obsessão. Podemos ficar obcecados com tudo quanto é tipo de coisa: esportes, a opinião de outros sobre nós, política e até purificadores de ar. O que pergunto é o seguinte: com o que você está obcecado? Com um relacionamento? Uma oportunidade? Um emprego? Um fracasso? O que quer que seja, essa obsessão não está ajudando nem um pouco. Lembre-se da Navalha de Occam. Fique com a explicação mais simples.

**EU ESTAVA EM LONDRES, DISCURSANDO EM UMA REU-** nião em uma igreja grande. Eles haviam se encontrado para ir à igreja no West End da cidade, em um teatro que fica lotado durante toda a semana com apresentações no palco. Todos os domingos de manhã, eles transformam o local em uma igreja, e as pessoas ficam horas na fila para poder entrar. O palco continha todos os adereços para a peça de teatro em exibição quando cheguei, e deve ter sido boa, porque parecia de outro mundo com aquela lava cobrindo o palco inclinado de maneira acentuada em direção à plateia. Quando tenho a chance de falar a muitas pessoas, gosto de ficar bem na beirada do palco, com os pés pendurados. Parece mais informal assim, e gosto de saber que, se eu perder o equilíbrio e cair no fosso da orquestra, acabarei dentro de um tímpano.

Nesse domingo específico, havia uma fila de pessoas esperando para entrar no teatro que contornava quatro quadras da cidade. Levaria algumas horas para começarmos o culto, e, como não sou desses que fica na sala verde comendo bolinho, saí, comecei a distribuir abraços e dar as boas-vindas às pessoas na fila para entrar na igreja. "Estou contente por você estar aqui! Será uma ótima manhã!", dizia eu a cada pessoa que aguardava, agitando os braços no ar antes de envolvê-la em um abraço acolhedor. Cerca de uma hora depois, o cara na minha frente usava uma jaqueta de tweed, e o abracei forte como fiz com todos os outros. "Bem-vindo!", disse eu. "Será um dia maravilhoso. Estou tão contente por você ter vindo à igreja!" Ele parecia um pouco surpreso, congelado feito uma estátua quando lhe dei o abraço forte de boas-vindas. Minutos depois, descobri o porquê. Acontece que a fila havia acabado uns trinta metros antes, e ele era apenas um britânico andando pelas ruas londrinas quando o norte-americano doido correu e lhe deu um abraço entusiasmado. Provavelmente, ele estava pensando com seus botões que estava feliz por meus ancestrais terem embarcado em um navio, navegado pelo oceano e fundado o próprio país. Ao desperceber algumas coisas pelo caminho e não entendê-las, você será mal interpretado. Lide com isso, assuma as rédeas, dê mil abraços. Não se deixe distrair por isso.

Nossas comunidades religiosas são maravilhosamente diversas em expressão. Algumas agitam as mãos no ar e fazem muito barulho, enquanto outras vestem manto e mantêm os braços ao lado do corpo. Algumas mantêm as palmas das mãos para cima, e outras as pressionam uma contra a outra. Algumas cantam hinos com um coral e têm conjuntos de violoncelo e leituras responsivas, ao passo que outras surfam na multidão, tocam música contemporânea e agitam a casa enquanto as máquinas de fumaça criam o clima. Você não precisa se identificar com tudo isso para apreciar. Não se distraia quando outra pessoa se conectar com Deus de uma forma que não fala com você. O mesmo vale para a maneira como alguém descreve a própria experiência com Deus. Estar em união com Deus não significa que precisamos ser os mesmos.

Uma pessoa me perguntou se eu estava diluindo o Evangelho nos livros que escrevo. "Na verdade", respondi, "espero que sim". Eis o motivo: quero escrever livros para pessoas sedentas. Há muitas pessoas cheias de opinião, mas sedentas na própria vida porque simplesmente não estão mais com sede. Esteja entre os sedentos e não se distrairá quando alguém descrever a própria jornada de uma forma diferente da sua. Não se limite a conhecer as Escrituras. Antes, delicie-se com a liberdade que elas podem lhe trazer se estiver disposto. Como minha Amada Maria me diz o tempo todo: cuide da própria vida.

Como advogado, escolho jurados. Para isso, preciso avaliar depressa pessoas que dariam bons membros do júri. Agentes funerários fazem o mesmo, avaliando o tamanho das pessoas rapidamente. E se parássemos de ficar avaliando os outros? E se cuidássemos de nossa própria fogueira em vez disso? Talvez elas ardessem um pouco mais. Precisamos parar de entrar em cabos de guerra com pessoas de dentro e de fora de nossas comunidades religiosas só porque não entendemos ou não concordamos com sua visão de mundo. Lembre-se: Deus não nos nomeou juízes e júris só porque temos opiniões. Faça-nos um favor e guarde seus pensamentos divisivos para si mesmo. Em vez disso, delicie-se com nossa maravilhosa diversidade.

Lembre-se: devemos ser os heróis do amor, não os seguranças. Infelizmente, alguns de nós ficaram tão distraídos tentando endireitar os outros, que saímos da estrada. Acontece que a maioria dos prisioneiros do orgulho realmente pensa que são os guardas. Não se torne um deles. Não estou dizendo para pegar leve na sã doutrina. Estou dizendo que, se formos grandes em Jesus, viveremos sob uma grande teologia.

Certa vez, discursei em um evento no Texas. Passamos ótimos momentos juntos, e, no dia seguinte, recebi um telefonema de uma mulher. "Oi, estive no evento em que você discursou ontem à noite", disse ela.

"Maravilha! O que achou?", perguntei.

"Oh, eu odiei!"

"Odiou meu discurso? Qual parte?"

"Tudo."

"Oh, meu Deus", gaguejei, me perguntando o que havia dito de tão desagradável. "Por quê?"

Ela respondeu: "Você xingou o tempo todo."

Refleti por alguns segundos, mas não me lembrei de ter falado, por acidente, nenhuma palavra começada com f.

"O que foi que eu disse que a ofendeu?"

Ela disparou: "Você disse 'Oh, meu Deus' várias vezes."

"Oh, meu Deus", disse eu, me segurando para não rir. Ela deve ter achado que eu tinha síndrome de Tourette. Para mim, essa frase não era um xingamento. Obviamente, não frequentamos o mesmo ensino médio.

Mais uma vez, eu tinha sido mal compreendido. Eu a convidei para tomar uma raspadinha na próxima vez que estivesse na cidade, depois me perguntei para qual pobre coitado de sua lista de estranhos ela ligaria a seguir para cumprir com a obrigação que ela achava que tinha de repreender. Se estiver tentado a repreender estranhos pelas coisas que disseram, por que não ligar da Cruz Vermelha local enquanto doa 1 litro de sangue para alguém necessitado ou enquanto troca o pneu furado de outra pessoa no acostamento? Podemos nos distrair pensando que estamos dando às pessoas conselhos necessários sobre como viver a vida sem, de fato, acrescentar nada à vida delas. Entende o que quero dizer?

Você será mal compreendido. Confundirá as coisas várias vezes e se equivocará ainda mais. Isso não acontecerá de vez em quando, mas constantemente. Então descubra com antecedência o que fará na próxima vez que isso acontecer, e, oh, meu Deus (não resisti), a liberdade que você ganhará valerá a pena.

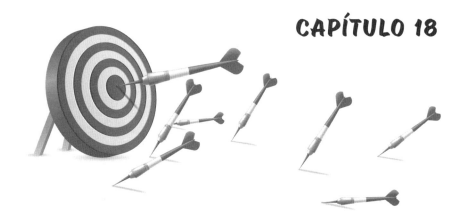

# CAPÍTULO 18

## CINCO MINUTOS A PARTIR DE AGORA

> O trabalho que você faz não é para provar seu valor; é a prova de que Deus já o considera valioso.

Certa vez, tomei um voo para uma cidade do sul para um evento de palestras, e um cara muito simpático disse que iria me pegar no aeroporto. Sou péssimo para me localizar, então sempre agradeço quando alguém me dá carona. Saí do aeroporto e entrei em seu modesto carro fora da área de recolher bagagens. Lá dentro havia um cara mais velho, com sorriso acolhedor e aperto de mão firme. Como estávamos no meio do dia, presumi que ele era aposentado e só queria me fazer um favor me dando uma carona.

Entrei em seu carro e agradeci pela carona, e ele me disse que sempre ficava feliz por ajudar. Percebi que hospitalidade era seu nome do meio. Entramos na rodovia, e o homem começou a me contar uma história sobre sua família e como eles viajaram para Washington D.C. quando ele era jovem. Ele recordou que sua família, que contava com vários irmãos, fez check-in em um hotel com seus pais quando chegaram à capital, décadas antes. Enquanto ele falava, eu pensava com meus botões: *essa será uma história beeeeem longa*. Mas como eu tinha o dia todo e ele era simpático, fiz mais algumas perguntas. Ele me contou que o hotel em que sua família ficou estava caindo aos pedaços e era barato. E quando o pai foi fechar a conta, o recepcionista disse que cada criança custaria um dólar a mais. O pai ficou furioso pelo hotel cobrar taxa pelas crianças, e o bando todo voltou para casa com o pai irritado e resmungando.

Meu motorista disse que seu pai decidiu, quando a família chegou em casa, que aquele hotel estava errado e algo deveria ser feito a respeito.

Entramos no hotel onde eu passaria a noite, enquanto meu novo amigo contava a história. Com um gesto incomumente gentil, ele não somente me deixou lá, mas saiu do carro e foi comigo até o saguão, passando pelo estacionamento. Um dos funcionários do hotel passou por nós no saguão e cumprimentou meu motorista. "Oi, Sr. Wilson." *Que engraçado, talvez ele venha sempre aqui*, pensei comigo. Fui à recepção para fazer o check-in, e a recepcionista olhou para mim e para o meu amigo e disse, com um tom de voz animado: "Oh, oi, Sr. Wilson!" Hein? Ele também conhecia a recepcionista? Ele era um cara simpático, mas duvidei que ficasse no hotel com tanta frequência, já que morava na cidade. Virei-me para meu motorista. "Sr. Wilson, o senhor vem aqui com frequência?" Ele apenas deu de ombros e sorriu. Enquanto isso, outra pessoa passou e disse: "Olá, Sr. Wilson!" Será que havia uma câmera escondida em algum lugar e eu era o único que não tinha sacado a pegadinha que estavam fazendo comigo?

"Tá bom, tá bom", disse eu a meu novo amigo, "qual é o lance?"

Ele riu com gentileza e explicou: "Bem" — pausou por um longo segundo — "o hotel é meu."

"O senhor é dono deste Holiday Inn?"

"Bem", voltando a rir, "na verdade, tipo, de todos eles."

Acontece que meu modesto motorista era o filho de Kemmons Wilson, que, quando voltou com a família de sua viagem para Washington D.C., decidiu inaugurar a própria rede de hotéis. Um dos arquitetos originais dos primeiros hotéis evidentemente fez uma piada sobre um filme chamado *Holiday Inn* (que recebeu o título *Duas Semanas de Prazer* em português) enquanto planejavam alguma coisa tarde da noite, e o resto é história.

A fé era importante para Kemmons e seu parceiro, de modo que colocaram uma Bíblia em todos os quartos — uma novidade. Ele inaugurou o emblemático Holiday Inn em Memphis no final dos anos 1950, ao passo que o milionésimo Holiday Inn foi inaugurado em fins de 1960. E continuaram construindo mais. Que história!

O ponto que gostaria de destacar é o seguinte: muitos de nós ficamos distraídos tentando parecer importantes. Meu motorista, o Sr. Wilson, não tentou. Ele era importante, mas não porque sua família era proprietária de uma cadeia de hotéis bem-sucedida. Ele era importante porque Deus o conhecia e o amava. Você também é. Ele refletia sua importância na forma de honrar e respeitar as pessoas que trabalhavam para ele, com uma humildade discreta e confiante, e em como arranjava tempo para viajantes instáveis como eu. Dizem que existem dois tipos de pessoas: as humildes e as que ainda o serão. Seja humilde e não se distrairá tentando parecer importante.

**VOCÊ SE LEMBRA DA ÚLTIMA VEZ EM QUE CONHECEU** pessoas novas? Talvez em um churrasco no quintal ou esperando sua vez em uma reunião de pais e mestres. Talvez em um clube do livro, trocando o óleo do carro ou na primeira vez em um novo grupo de escola dominical ou em um chá de bebê. Qual é a pergunta mais comum nesses ambientes onde os recém-conhecidos estão aprendendo coisas uns sobre os outros? Se sua experiência é parecida com a minha, a pergunta é: *O que você faz?* Isto é, o que você faz *da vida*?

Somos programados para fazer essa pergunta porque nosso acordo coletivo é o de que o trabalho é importante e pode dar algumas dicas sobre o que é mais importante em nossa vida. É como alimentamos nossa família ou nosso ego. É como pagamos os boletos ou correspondemos às expectativas das pessoas. É como passamos a maior parte de nossos dias. De fato, em média, os seres humanos passam 30% da vida trabalhando. A única coisa que fazemos por mais tempo é dormir, e apenas poucos pontos percentuais a mais.

No entanto, a sutil reviravolta que acontece com o trabalho em comparação com nossas outras atividades diárias é que é fácil confundir *o que fazemos* com *o que somos*. Em outras palavras, igualamos nosso trabalho a nosso valor e nossa identidade. É aí que a porca torce o rabo. Além disso, é mais fácil perguntar às pessoas *O que você faz?* do que *Quem é você?* Ficamos preocupados com ir rápido e fundo demais, então fazemos perguntas menos pessoais como *Para qual time você torce?*, e não *Quantas horas você dorme por noite?* Entendo. Pode soar estranho fazer perguntas aprofundadas sem um relacionamento que respalde essa atitude.

Aí vai uma pergunta diferente que acredito que vale a pena fazer: até que ponto você baseia sua identidade no trabalho? Seu trabalho é seu cartão de visitas, aquilo de que você se orgulha de falar em jantares? Talvez seu trabalho seja a forma de corresponder lealmente às expectativas alheias. *Meu avô e meu pai foram militares, então acho que devo seguir os passos deles.* Ou talvez isto soe mais familiar: *na verdade eu queria ser [músico, chef de cozinha, terapeuta, veterinário, empresário, corretor da bolsa, professor, baterista], mas meus pais não apoiaram.*

Se quisermos ser menos distraídos, precisamos ter um controle melhor e mais saudável de nosso trabalho e da posição que Deus quis que ele ocupasse em nossa vida. Mas isso pode ser bastante confuso, certo? Estamos tentando descobrir essas coisas no meio do caminho, no meio do trabalho, no meio da carreira, e nos sentimos presos ao que fazemos atualmente, embora isso talvez não esteja mais funcionando para nós.

Eu costumava frequentar certo restaurante, e muitas vezes o mesmo garçom me atendia. Ele era jovem, cheio de energia e ambição e usava o emprego para juntar o dinheiro de que precisava para o rumo que estava tomando. Recentemente voltei ao local, quase dez anos depois, e adivinha quem ainda estava lá? Ele se lembrou de mim, e recordei os planos que ele mencionou durante todos aqueles anos. Ele disse: "Ah, é. Eu realmente queria fazer isso, mas o salário aqui era bom demais e eu precisava pagar as contas." No passado, ele praticamente reluzia de propósito enquanto zunia pelo restaurante — sabendo qual era sua meta. Agora sua aparência estava grisalha e cansada, os ombros caídos, fazendo movimentos automatizados enquanto anotava meu pedido. A vida pode ser dura, e às vezes ela nos traz algumas surpresas — mas me perguntei se ele havia parado de se esforçar em prol de algo e agora apenas trabalhava de corpo presente, e ficou claro que a escolha não estava lhe fazendo bem algum.

Não me entenda mal. As pessoas não distraídas que conheço dão um duro danado. Elas conhecem seus propósitos, e os buscam de maneira incansável e alegre. Algumas têm muito dinheiro; outras não. Alguns desses amigos têm empregos que poderiam parecer glamourosos para nós, meros mortais; outros estão extremamente satisfeitos com empregos que não aceitaríamos nem em um milhão de anos. A questão é a seguinte:

o que fazemos é menos importante do que o rumo que estamos tomando, para quem trabalhamos e por que o fazemos. Pense nisso e aplique ao seu caso por alguns instantes. O que você mudaria?

Você sabia que, na Bíblia, Paulo afirmou que deveríamos trabalhar como se Deus fosse nosso chefe?[1] Eu gosto dessa perspectiva. Deus gosta de ver nosso trabalho como uma forma de honrá-Lo, de nos aproximarmos Dele e refleti-Lo na maneira como vivemos. Pense na primeira coisa que vemos Deus fazendo na Bíblia no livro do Gênesis. Ele está trabalhando. Está criando. Está construindo uma visão do universo e elaborando-a, avaliando a beleza do que Ele fez. É misterioso e incrível pensar que, de todas as coisas que Deus fez, somos as mais preciosas. Você acha que Deus deseja que façamos esforços sem sentido no trabalho? É claro que não. Ele quer que sejamos semelhantes a Ele em qualquer coisa que criarmos e fizermos. Podemos fazer isso empacotando compras de mercado ou pousando na Lua. Sempre que estivermos criando por meio do trabalho — e sempre que trabalharmos como se Deus fosse o verdadeiro chefe —, estaremos no caminho certo. Não importa qual seja o trabalho; o que importa é quem nos tornamos no processo de fazer o trabalho, e o objetivo é parecer e agir mais como Jesus enquanto o fazemos.

Se Deus nos imbuiu do desejo de trabalhar, e se moldarmos nossa identidade em torno desse aspecto da vida que consome tempo, mexer naquilo que está quieto pode causar uma sensação de risco. Pode parecer que estamos na ponta do trampolim, totalmente paralisados e incapazes de saltar. Se isso lhe parece familiar, o que tenho a dizer é simples e difícil ao mesmo tempo: dê o salto. No mínimo, você dará um salto ousado rumo a quem está se tornando e para o que está trabalhando, e é melhor do que ficar uma década servindo mesas quando o emprego não serve mais para você.

**CERTAS PESSOAS FAZEM PLANOS E ASSUMEM COMPRO**-missos grandiosos para o futuro. Não é errado planejar ou se comprometer, mas a verdade é que a maioria de nós está apenas supondo o que a próxima hora trará. Quero que as pessoas trabalhem comigo porque é a coisa certa neste exato instante, não porque era a coisa certa um ano atrás. As pessoas deveriam mudar. Caia na real, no seu caso e no das outras pessoas. Incentive uma mudança. Com respeito, exija isso das pessoas com quem você trabalha e de si mesmo. Mudar não é desleal. É irreverente. A maioria de nós está a um ou dois trabalhos atrás de quem nos tornamos. Isso não é ruim. Na verdade, é bom. Significa que estamos mudando. Nossos interesses estão evoluindo, e nossas habilidades estão em constante expansão se vivemos a vida corretamente.

Entrava ano, saía ano, e lá estava eu trabalhando como advogado havia algumas décadas, e funcionava muito bem. Em determinado ponto, entretanto, decidi que tinha mudado tanto em comparação com quem eu era, que ser advogado havia se tornado uma distração. Portanto, parei. Não planejei, não pensei mais a respeito ou me preocupei. Parei, simples assim. Tal como Cortez, queimei os navios. A maioria das pessoas escolhe a carreira e preenche a vida com qualquer espaço de sobra. Minha Amada Maria e eu decidimos que escolheríamos a vida primeiro, e nossas carreiras viriam em segundo lugar. Algumas de minhas boas ideias funcionaram, e algumas ruins também. Algumas, que achava que eram realmente incríveis, não deram certo. Eu costumava passar o tempo fazendo coisas que funcionavam. Agora estou tentando fazer coisas que durem. A diferença é sutil, mas importante.

Um dos erros que cometi no início foi fazer as coisas que eu era *capaz* de fazer. Vou lhe dar um exemplo. Sei tocar banjo. Não sou nenhum Earl Scruggs. Se você me ouvisse tocar a famosa

"Foggy Mountain Breakdown", entenderia do que estou falando. Agora, o que faço é descobrir as coisas que fui feito para fazer e fazer muito dessas coisas. Mudar de "capaz de" para "feito para" envolve mudanças constantes, um entendimento claro de meu propósito e uma resolução sem distrações e inabalável para fazer o que for preciso para chegar lá. Não saber como fazer algo não precisa atrasá-lo; acelere. Descobrir o que fomos feitos para fazer significa tentar uma porção de coisas. Pretendo comprar uma gaita de foles. Sem brincadeira. Compre uma também. Você ficará ótimo de kilt. Tudo bem experimentar certas coisas e depois descartá-las quando elas não estão lhe dando o sinal certo de feedback.

Empregos ruins tornam o voluntariado mais atraente e fazem a faculdade e a pós-graduação parecerem mais estimulantes. Chefes ruins nos tornam melhores empregadores. Tarefas de trabalho ruins nos tornam mais compassivos e sensíveis às pessoas que ocuparam nossos lugares. Esses trabalhos ruins refinam nossa visão de mundo e nos lembram do que é significativo. A maioria das pessoas não quer carreiras melhores; elas querem mais propósito. Aqui está a ótima notícia: Deus disse que os propósitos estão sendo distribuídos a granel.

Encontre um emprego que combine com você, que não seja conflitante com a vida que você deseja e a que você quer para seus entes queridos. Não sou inteligente o bastante para ser médico. Mas, se fosse, não seria dermatologista, porque teria que estar no mesmo lugar da espinha ou da erupção. Quero muita liberdade. Por outro lado, outros se sentem confortáveis com a estrutura. Se não gosta de sangue, você não deveria trabalhar na Cruz Vermelha. Se não gosta de números, não se torne contador. Se não sabe lidar com conflitos, não seja advogado. Se não quer chamar muito a atenção, não seja pastor.

Escolha onde você quer morar. Não deixe seu trabalho escolher o lugar que você chamará de lar. Eu moro em San Diego, mas trabalhei em Seattle durante 25 anos. Na maioria dos dias, pegava um avião de manhã cedo, voava para Seattle e chegava em casa para jantar. Nossos filhos estavam no ensino médio antes de descobrirem que eu trabalhava do outro lado do país. "Papai, o senhor disse que trabalhava no centro", disseram eles certa noite, durante o jantar.

"E trabalho", respondi rindo.

Antes de ter meu próprio escritório de advocacia, eu era sócio de outro. Quando nossos filhos eram pequenos, os dias eram bem simples: alimentá-los, vesti-los e manter suas mãos longe do fogão e do peixe-dourado no aquário. À medida que cresciam e aprendiam a andar e falar, as coisas ficavam bem interessantes. Eu queria conversar mais porque eles podiam falar comigo e eu podia fazer travessuras com eles. Queria ficar com eles, e eles queriam passar um tempo comigo. Então, em uma sexta-feira, no início do verão, eu disse a vinte de meus sócios que passaria os próximos meses com minha família em nossa casa no Canadá. Eles me olharam como se eu estivesse de sombrinha amarela e sapatos de neve. Balançaram a cabeça ao mesmo tempo e me lembraram de como funcionava o programa sabático. Após dez anos, eu teria quinze minutos de folga.

Não discuti com eles. Na segunda-feira, simplesmente não apareci; estava no Canadá com minha família. Não estou brincando. Alguns meses depois, voltei. Eu não conseguia imaginar um grupo de caras mais fora de forma, até que fiz o mesmo no verão seguinte. Foi irresponsável? Talvez. Mas teria sido pior perder a vida de minha fabulosa família.

Ouça, você precisa de sua família, e eu, da minha. É fácil passar tanto tempo sendo provedor da família a ponto de não cuidar mais dela. Está me entendendo? Não deixe para se conectar com sua família no futuro. Isso não acontecerá. Escolha sua família várias vezes. Sabe por quê? Quando você for mais velho, ela o escolherá.

Algumas pessoas fazem um ótimo trabalho no mercado, e outras, com suas famílias. O truque é fazer os dois. Faça um monte de coisas. Faça coisas arriscadas. Já queimei minhas sobrancelhas acidentalmente mais de uma vez. Faça coisas significativas e altruístas. Encontre maneiras de moldar o coração de sua família e não precisará de um bordão publicitário. Leve toda a bondade, beleza e liberdade que você experimenta para o trabalho que você faz. Quando as pessoas perguntam a meus filhos o que faço para ganhar a vida, eles só riem e vão embora, provavelmente porque ainda estamos tentando descobrir o que faço.

SABE ESSES BASTÕES DE MEL QUE VOCÊ PEGA NA CAFEteria para adoçar o chá? São o trabalho de uma vida de dez abelhas. Pessoas focadas no próprio propósito não querem governar a colmeia; querem colocar seu mel acima do das outras e participar de algo duradouro. Mesmo o mel enterrado com os faraós ainda é doce. Esse é o tipo de vida que procuro quando se trata das coisas às quais dou importância. O propósito e a alegria sempre irão longe; a distração não o levará até o fim da semana.

Se você quer descobrir as coisas que serão *duradouras* em sua vida, livre-se das distrações que deveriam ser as *menos importantes*. Permaneça ávido por aprender ou conhecer algo novo todos os dias. Pessoas que querem mudar o mundo podem ter muitos traços de personalidade similares, mas todas parecem ter algo em comum: elas são curiosas em relação a tudo. A maioria de nós não sabe como um zíper funciona, como uma corda de violino produz som ou porque o milho vira pipoca. Não se contente em vestir-se e comer todos os dias e chamar a isso de vida. Aprenda algo novo e descobrirá um novo combustível para a vida.

Algumas pessoas passam pela vida com cara de perdidas e desesperançosas e parecem mais velhas que sua idade cronológica. Talvez tenham deixado de ser curiosas e isso afetou sua aparência, suas sensações e sua vida. Não seja uma delas. Acima de tudo, continue curioso sobre seus entes queridos. Envolva-se com eles de tal maneira que também desejem encontrar o próprio propósito, enquanto você encontra o seu. Será a jornada mais bonita que você poderá compartilhar com eles.

Será preciso tempo e esforço para ter clareza em prol daquilo pelo qual você está se esforçando. Talvez você tenha passado dez anos pensando no próximo passo e agora esteja se sentindo assustado ou preso. Talvez tenha pensado nisso apenas nos últimos dez minutos enquanto lia este capítulo. Talvez tenha que sair do próprio mundinho e se ocupar com alguma coisa. O que está esperando?

Entendo. Às vezes a vida parece uma gaveta de meias jogada no chão. Certamente é uma bagunça, mas que ótimo momento para começar a desenrolar a meia xadrez que se embolou com a da academia e encontrar um par melhor. Levou apenas um ano e 45 dias para construírem o Empire State Building. Não faça uma lista ou espere outro ano; ocupe-se agora mesmo construindo o restante de sua vida. Sei que você quer planejar tudo — também quero, às vezes —, mas lembre-se: os construtores do Empire State Building estavam no trigésimo andar enquanto ainda trabalhavam nos detalhes do primeiro andar.

Sua vida é um prédio em construção. Você pode mudar o que é construído conforme os andares vão subindo cada vez mais. Você não precisa ser quem foi há cinco anos nem há cinco minutos. Você trabalha em conjunto com Deus para decidir quem será daqui a cinco anos, e isso começa com o que você fará cinco minutos a partir de agora. Se deseja uma vida de propósito, alegria e menos distrações, provavelmente serão necessários novos planos. Ninguém acerta na primeira tentativa. Acredite em mim. Só tenha em mente que, quando você para de se esforçar em prol de algo, o projeto de construção já parou. Vamos parar de viver como se o projeto estivesse finalizado e voltar ao trabalho de reconstruir a vida e a de nossos entes queridos rumo ao céu.

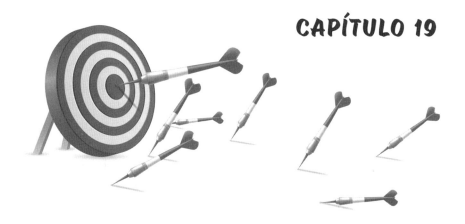

# CAPÍTULO 19

## TERMINE SEU TRABALHO

> Se quer honrar e surpreender a
> Deus, descubra qual é o trabalho
> que Ele lhe deu e conclua-o.

Quando eu estava na faculdade, conheci um cara que fabricava violões. Eu morava no norte da Califórnia, em uma pequena cidade litorânea chamada Arcadia. As pessoas de lá fumavam muito, mas não cigarros. Jim tinha uma lojinha na cidade, perto do *campus*, com uma pequena janela que dava para a rua. Ele tinha barba e cabelos compridos, usava contas de cerâmica no pescoço e estava sempre com uma jaqueta jeans desbotada e um par de botas de camurça com solas de borra-cha. Toda semana, eu apertava o nariz contra a janela, espiava lá dentro e ficava contente em ver maravalhas, ferramentas e um instrumento de cordas a mais um passo da finalização. Lembrava-me das aulas de marcenaria no ensino médio e de todas as lições de vida que aprendi lá.

Não é fácil se tornar luthier. É como ter doutorado em mar-cenaria e leva anos de prática, paciência e um amor profundo por criar. Também requer as ferramentas certas e a habili-dade de visualizar o produto finalizado na madeira bruta e, de alguma forma, ouvir a música que ele poderia fazer um dia. Alguns de nós não acham fácil fazer isso na vida. Podemos ter algumas peças e, talvez, uma ou outra ferramenta neces-sária para criar uma vida bela. Mas, muitas vezes, não temos o conhecimento, a experiência ou a instrução para finalizar o trabalho que, segundo Paulo, Deus começou dentro de nós muito tempo atrás.

Um dia, decidi entrar na modesta loja de Jim e tentei abrir a porta que rangia, empurrando-a. Acima de minha cabeça, um sino pequeno, daqueles antigos, tocou, revelando minha presença. Jim tirou os olhos do instrumento em que traba-lhava, um pouco surpreso por haver alguém dentro da loja. Acho que isso não acontecia com frequência. Apresentei-me e perguntei se ele me ensinaria a fazer um violão. "Pode apostar", concordou ele, indiferente, desviando brevemente os olhos do instrumento em que estava trabalhando.

Eu havia ensaiado meu discurso sobre por que, para ele, seria bom investir em mim. Planejara lhe dizer como eu tocava violão bem, era um cara simpático e, no passado, até tive um filhote de cachorro. Convenci-me de que seria preciso muita autopromoção para conseguir o que queria e que, no fim, prova-velmente não daria certo. Achei que seria um incômodo daque-les, e já tinha me preparado para ser dispensado. Quando Jim deu o sinal verde, imediato e inequívoco, não soube o que dizer.

"De verdade?", meio que balbuciei. Não consegui achar nada melhor ao escarafunchar minha reserva de respostas enérgicas a esse tipo de gentileza extravagante.

"Claro," respondeu ele. "Volte no fim da semana e começaremos." Saí da loja sonhando com ferramentas, maravalhas, performances no violão e com a façanha maneira que seria *fazer meu próprio violão*.

Alguns dias depois, quando cheguei à loja, ele havia colocado um par de tábuas de mogno e abeto na mesa. Ele me disse que as passaríamos pela plaina e as deixaríamos finas o bastante para as laterais e para a parte de trás do violão. Então, usamos outro pedaço maior para moldar o braço do instrumento. Depois que fizemos isso, usamos pinho para fazer o formato do corpo do violão, com todas as curvas.

Na semana seguinte, para deixá-las maleáveis, embebemos as peças finas de madeira que passamos pela plaina, as dobramos ao redor do molde que construímos e as apertamos com firmeza para que assumissem permanentemente o formato do molde. Semanas depois, acrescentamos uma braçadeira, fixamos a parte de trás do violão e colocamos abeto por cima após cortar a boca. Finalizado o processo, fiz um cavalete onde as cordas se prenderiam e lixei pequenos pedaços de madeira para fazer os rastilhos, a fim de prender as cordas no lugar. Então, Jim me mostrou como moldar o braço e a mão. Estava quase terminando. Tudo isso levou uns seis meses, que passaram em um piscar de olhos. Jim e eu nos tornamos bons amigos no processo. Havia só mais uma coisa para terminar o violão: precisava fazer a escala do braço.

Toda vez que saía da loja, me imaginava dedilhando para cima e para baixo o braço cuidadosamente entalhado, pousando com perfeição nos trastes, enquanto derretia corações com a música que saía do violão que eu fizera com minhas próprias mãos. Estava tão empolgado para terminar esse projeto, que fiz planos de matar algumas aulas da última semana, a fim de finalizar a última etapa.

Infelizmente, Jim ficou doente a semana toda. Uma chateação e tanto, mas eu estava implacável. Então, peguei a doença que ele tinha pego, e isso me atrasou mais ou menos uma semana. Quem me conhece bem sabe que, quando fico doente, despenco em queda livre. Nesses dias em que fiquei doente, gemi e grunhi em um quarto escuro, totalmente fechado para o mundo. Nesse estado lamentável, também houve o último dia de aula na universidade. Tão logo me recuperei, fomos expulsos das residências durante o verão. Não me lembro de ter feito as provas finais, mas, de alguma forma, passei.

Tentei ir à loja de Jim mais algumas vezes, mas meu cronômetro parecia amaldiçoado. Dia após dia, ele não estava lá. Acabei percebendo que eu teria de me tornar um luthier sem-teto ou encontrar um lugar onde pudesse conseguir um emprego e pagar o aluguel. Então, me mudei para o sul da Califórnia, arrumei um emprego e levantei dinheiro suficiente para comprar uma prancha de surfe. Nunca cheguei a terminar a escala do braço do violão para finalizar o instrumento. Eu me *distraí*.

Não muito tempo atrás, eu estava em nosso sótão e me deparei com um estojo antigo para violão. Perguntei-me qual dos meus três filhos adultos o havia deixado para trás. Abri o estojo e, lá dentro, havia um violão de madeira sem a escala do braço. Havia me esquecido completamente dele. Comecei a fazer contas com os dedos das mãos e dos pés e percebi que o violão inacabado tinha 42 anos. Para onde o tempo havia ido? Era como se eu fosse Rip Van Winkle* e tivesse pego no sono, deixado cres-

---

\*    Personagem de um conto homônimo de Washington Irving, escrito em 1819. Na história, o fazendeiro Rip tem uma briga com a esposa, foge para as montanhas e, lá, encontra outros homens jogando. Um deles faz Rip adormecer, e ele acorda depois de vinte anos. De volta à cidade, o personagem revê a casa destruída e descobre que muita gente morreu em uma guerra. O termo "Rip Van Winkle" acabou servindo para designar uma pessoa que dormiu, estagnou e viveu em períodos distintos da vida, mas que, por dentro, permanece a mesma. (N. do T.)

cer uma barba de 30 centímetros, me casado, tido três filhos e algumas carreiras. Comecei a fazer aquele violão com bastante entusiasmo e estive muito perto de finalizar, mas parei. Não que ele não fosse importante para mim. Foi a lenta deriva de outras coisas que atrapalharam. Isso acontece a todos nós, de maneiras diferentes. Distrações vêm em forma de trabalho, relacionamento, escola, mudanças, filhos e planos de aposentadoria. Não é uma procrastinação consciente; é a missão a que sucumbimos.

Tirei do sótão o estojo empoeirado e o coloquei à porta da frente, como um lembrete diário. Não me restam 42 anos, e não queria mais me distrair. No dia seguinte, comecei a procurar alguém que me ajudasse a terminar a escala do braço. Encontrei um cara chamado Jed. Ele parecia ter tocado para os Doobie Brothers e me lembrava o cara que havia me ajudado a começar esse projeto décadas antes. Jed começou a consertar violões quando comecei a fabricar o meu, e, assim como eu, ele era velho. Levei o violão à sua loja, e ele deu uma olhada no instrumento inacabado dentro do estojo. Ele o puxou pelo braço e disse: "Cara, nada mal. Você chegou perto de terminar."

"É, eu sei", respondi. No passado, provavelmente teria dado todas as desculpas sobre o porquê não o terminei e encerrado com um pequeno discurso constrangido. Mas fiquei animado com o otimismo dele. Algo havia mudado dentro de mim ao longo dos anos, e não senti vergonha do que ficou inacabado. Em vez disso, redescobri meu sonho original e dei nova vida a meu desejo de encerrar. Só precisava de alguém para me ajudar a chegar lá.

Certo dia, Jesus conversava com Seu pai, e Ele nos deixou escutar a conversa. Ele disse que trouxe glória e honra a Seu Pai ao finalizar a obra que havia sido lhe dada. Entendo esse tipo de teologia. Se você quer honrar a Deus como Jesus honrou, termine o que Ele lhe deu para fazer. Você tem uma música para compor? *Termine seu trabalho.* Há um livro dentro de você, mas você vem adiando o processo da escrita? *Pegue sua caneta.* Você tem um relacionamento tenso que exige uma conversa difícil? *Telefone*. Está preso em um trabalho que não é mais para você? *Peça demissão*. Literalmente, termine seu trabalho. Ou há alguém com quem você quer se conectar, mas sentiu que seria um risco muito grande para assumir? Não se contente em apenas começar o trabalho, como fiz com meu violão; termine-o.

Talvez você precise encontrar alguém para ajudá-lo a dar o último passo corajoso. Encontre um amigo confiável, um conselheiro sábio, um familiar, um pastor de confiança ou o cara da loja de pneus. Procure pessoas que tenham paciência ou experiência, ou o amor profundo por criar que talvez você não tenha. Identifique as pessoas que finalizam as coisas e se aproxime delas. Descubra o que o está atrapalhando, as coisas que o estão distraindo, e elimine-as. Se quer honrar e deslumbrar Deus, descubra qual foi o trabalho que Ele lhe deu e faça-o até terminar.

**CHEGUEI AO AEROPORTO INTERNACIONAL DE SAN** Diego e fui a outra cidade para dar uma palestra. Estou constantemente no terminal, a caminho de um evento com palestras ou voltando de um. Os bilheteiros atrás dos balcões são a minha gente. Já os convidei para minha casa e, juntos, comemoramos aniversários, formaturas e outras datas importantes. Ajudei alguns deles com adoções internacionais e tantos outros com problemas com o carro ou colegas de quarto. Eles me chamam de "Sr. G" quando chego, e muitas vezes colocam um bilhete no balcão para eu pegar enquanto passo. Naquele dia, eu sabia que teria pouco tempo quando chegasse no aeroporto. Geralmente, não gosto de correria, mas eu havia planejado me atrasar para me dar o tempo extra que queria passar com minha Amada Maria antes de sair correndo novamente. Foi um bom negócio. Além disso, fazia anos que não perdia um voo para uma palestra.

Passei rapidamente pela segurança, o que não me surpreendeu. Assim como na bilheteria, em geral, me divirto com o pessoal das máquinas de escaneamento, como se fossem reuniões com ex-colegas de classe. Quando passo pelo detector de metais, geralmente esqueço de tirar meu relógio do Mickey Mouse e sou direcionado para a revista corporal mais invasiva. Dou um sorriso sem graça para esses rostos familiares e viro meus bolsos do avesso enquanto me analisam com detectores manuais e vasculham minha mochila cheia de livros parcialmente escritos, cubos mágicos, balas de caramelo e vários adereços para a próxima palestra.

Após passar pela segurança, corri até o portão sabendo que estava muito atrasado, até para meus padrões. Em vez de me deparar com o último procedimento de embarque e ouvir meu nome anunciado pelos alto-falantes, senti uma lentidão no portão e vi uma aglomeração de pessoas perto do balcão de passagens. Ninguém ia a lugar nenhum. Olhei para lá e para cá no saguão, e o mesmo estava acontecendo em todos os portões. Ninguém sabia o que estava acontecendo.

Pelo sistema público de alto-falantes do aeroporto, uma voz agradável, porém evidentemente desinteressada, anunciava que, por algum tempo, nenhum voo chegaria ou sairia do local. "Nenhum avião poderá levantar voo até que as autoridades tomem as medidas de segurança apropriadas." As luzes de neon no painel de chegada e partida piscavam enquanto todos os voos eram cancelados e outros trinta eram desviados para pousar em outras cidades. O burburinho no terminal lotado ficou tão frenético quanto as luzes piscantes nas placas de voo.

Passaram-se longos dez minutos antes que a verdade sobre o motivo dos cancelamentos fosse divulgada no terminal. Para entender o alerta, você precisa ter uma noção de onde o Aeroporto de San Diego está localizado. Ele está encravado entre as colinas do Balboa Park, a leste; os arranha-céus do centro da cidade, ao sul; e Point Loma, a oeste. Ele fica bem no meio de uma densa área urbana. A topografia ao redor exige que os aviões cheguem voando baixo, desviando dos complexos de apartamentos, arranha-céus e lojas cheias de pessoas embaixo. Pilotei um avião até Lindbergh Field, e a aproximação da pista 27 pode ser complicada para os pilotos que entram no espaço aéreo pela primeira vez. Parece que as asas estão roçando os telhados.

Acontece que um atirador ativo com um rifle de alta potência estava em um dos apartamentos a leste do aeroporto.

Trocando em miúdos, havia um franco-atirador na trajetória do voo.

Mais tarde, soube que houve um grande combate que durou cinco horas. Depois que muitos tiros foram disparados, o combate terminou, assim como o evento de que eu deveria estar participando. Acho que devia ter ficado com minha Amada Maria por mais alguns minutos.

Pergunto o seguinte: quem ou o que é o atirador no seu caminho? Se conseguirmos identificar as distrações em nossa vida, podemos encontrar um caminho em frente passando entre elas, contornando-as ou nos afastando delas. Bastou um único franco-atirador para fechar um aeroporto inteiro, e isso faz sentido para nós — mas e as distrações que você permitiu que o fechassem completamente? Seu trabalho, um relacionamento ou um fracasso não o permitem alçar voo? O que essa distração lhe custou? Sua criatividade? Sua generosidade? Sua vontade de arriscar novamente? Seu desejo de mergulhar em relacionamentos vulneráveis e autênticos foi atingido?

Não se engane. As distrações estão sendo disparadas em sua direção. Elas chegam todos os dias na forma de decepções, inseguranças, contratempos, pequenos fracassos públicos ou grandes fracassos privados. Quaisquer que sejam seus franco--atiradores, eles provavelmente se esconderão em sua vida e aparecerão de alguma forma relacionada ao futuro. Não precisamos ficar surpresos quando isso acontecer; preparemo-nos. Se não criarmos um plano antecipadamente, essas distrações causarão estragos em nossa vida. Elas têm o poder de nos calar se estivermos propensos a tolerar ou a ignorar sua presença.

MUITO TEMPO ATRÁS, UM SUJEITO CHAMADO ARTA-xerxes era o soberano persa do povo judeu. Apesar de certo atrito inicial entre Artaxerxes e os judeus, seus sentimentos em relação a eles enquanto povo mudaram de maneira inexplicável. Neemias era um servo — o copeiro do rei — quando tudo isso aconteceu. O cargo de copeiro era especial no palácio. Essa pessoa servia o vinho e o provava antes que o rei o fizesse. Nada mal para um primeiro emprego — a menos que houvesse alguém tentando envenenar o rei e você provasse um bocado. Se não, nada de mais.

Neemias era alguém em quem o rei confiava com a própria vida, mas também era seu escravo. Era uma justaposição estranha, mas muitos de nós fazemos esse acordo o tempo todo. Jerusalém era a cidade grande. Se você leu livros de história, ela estava sempre metida em polêmicas, e ainda está, na maioria das vezes. Foi destruída 2 vezes, atacada mais de 75 e recapturada quase com a mesma frequência. Um grupo derrubava a cidade, a destruía e a tomava, então outro grupo chegava e fazia a mesma coisa. O último grupo que derrubou a cidade de Jerusalém destruiu os muros da cidade e incendiou os portões (de novo).

Neemias nutria um amor especial por Jerusalém, e perguntou ao rei se poderia sair do palácio e ajudar a reconstruir a cidade. Era um pedido ousado para um escravo, mas o rei confiava nele e o autorizou a ir.

Havia muito trabalho a fazer, mas Neemias nem pensou nisso; pôs mãos à obra. Não demorou muito para certas pessoas tentarem distraí-lo. Os homens o xingavam, diziam coisas ruins a seu respeito e tentavam intimidá-lo. Sua esperança era a de que Neemias ficasse tão distraído a ponto de abandonar o que fora fazer. Neemias tomou uma decisão poderosa, a qual espero que você adote em sua vida. Ele olhou para os homens lá embaixo, que chamavam seu nome, e respondeu: "Estou fazendo um trabalho importante e não posso descer!" O cara havia decifrado o código. Ele sabia o que tinha ido fazer lá. Sabia por que estava fazendo aquilo. E não se permitiria distrair.

Outro grupo descobriu onde Neemias estava e jogou todas as suas cartas para tirá-lo da tarefa — porém, mais uma vez, isso não funcionou. Neemias gritou para eles enquanto construía uma parede.

"Estou fazendo um trabalho importante e não posso descer!"

Consigo vê-lo — cabeça baixa, focado, confiante, determinado a não ceder ao barulho à sua volta. Neemias sabia muito sobre distrações, incluindo o poder que uma distração tinha para interferir em seus propósitos maiores concedidos por Deus. Sabendo que essas distrações chegariam a ele, Neemias definiu o que diria quando isso acontecesse. Você deveria aprender uma lição com ele.

"Estou fazendo um trabalho importante e não posso descer!"

Provavelmente, ele praticava olhando no espelho, para não ter que pensar a respeito no local. Faça o mesmo. Pratique dizer isso às interrupções quando se deparar com elas.

"Estou fazendo um trabalho importante e não posso descer!"

Para Neemias, essa frase não era apenas um lema; ele tinha uma estratégia e um plano para respaldá-la. Eis o que ele fez: metade das pessoas em sua companhia trabalhava na reconstrução das paredes de Jerusalém, enquanto a outra metade as protegiam.

Tenho umas perguntas para você: o que você dirá às pessoas e circunstâncias com as quais se deparar conspirando para distraí-lo de seus propósitos maiores? Terá coragem de dizer "Estou fazendo um trabalho importante e não posso descer" às pessoas e ao barulho ao seu redor? Neemias não conseguiu terminar seu trabalho sozinho, e provavelmente você também não conseguirá. Quem o apoia quando você faz um trabalho importante? Quem o ajudará a se manter no trabalho importante quando você não puder descer?

Há um vale nas proximidades chamado Ono. Em inglês, sua pronúncia pode ser traduzida como "Oh, não".** Não estou brincando. Não seria possível inventar uma coisa dessas. As pessoas que iam até Neemias queriam mais do que somente distraí-lo; queriam matá-lo. Para isso, elas tentaram tirá-lo do muro e fazê-lo descer até o vale do "Oh, não". Estou disposto a apostar que você já esteve em um lugar chamado "Oh, não" em determinado momento de sua vida. Talvez você tenha ouvido os conselhos cautelosos e cheios de medo das pessoas ao seu redor. "Que tal isso? *Oh, não.* E aquilo? *Oh, não.*" Talvez sinta que está quase lá ou mora nele há muito tempo. Talvez você sinta medos gerados por decepções e desapontamentos passados. Ou ansiedade em relação ao futuro. Talvez você visite o vale "Oh, não" com tanta frequência, que sente que deveria alugar um lugar lá com outras pessoas e fazer disso uma espécie de viagem ruim para o Havaí.

Se agora você não está no vale "Oh, não" ou não esteve lá recentemente, aposto que conhece os recepcionistas. É fácil identificá-los porque, quando surge uma grande ideia, a primeira reação deles é: "Oh, não. Isso nunca vai dar certo. Pra que tentar? Desista! Está perdendo tempo. Seja mais realista." Essas frases são o emblema do reino das pessoas em estado constante de "Oh, não". Não seja uma delas e, pelo amor de Deus, pare de andar com pessoas que estão afastando você do aroma de seu propósito belo e duradouro. Lembre-se de que *você está fazendo um trabalho importante e que não vai descer.*

---

** "Oh no", que é pronunciado "Ou nou".

Encontre amigos que o apoiem e o mantenham focado na tarefa presente. Não estamos aqui para construir um consenso ou um currículo; estamos construindo um reino. Sua vida não será o que as outras pessoas querem que seja. Encontre as rachaduras e os buracos em sua parede, os lugares que você precisa reconstruir, crie estratégias para permanecer na tarefa e, então, reúna alguns amigos que o apoiem enquanto o faz. Verifique as distrações todas as semanas. Identifique as pessoas e os obstáculos que o estão tirando da pista e, então, execute um plano de autocuidado para permanecer na rota. Decida de antemão o que fará quando se deparar com todo tipo de distrações. Tenha um procedimento para recuperar o foco. Não dê mais tempo de voo às distrações ao seu redor. Lembre-se de que está fazendo um trabalho importante e que você não pode e nunca descerá. É assim que se constrói algo duradouro. É assim que permanecemos sem distrações.

# EPÍLOGO

Obrigado por me acompanhar pelas aventuras destas páginas. Viajamos uma boa distância e cruzamos juntos a linha de chegada. A menos, é claro, que você tenha se distraído e deixado este livro no carro ao pedir um Uber ou no bolso do assento de um avião. Espero que volte a ler partes da obra que você sublinhou ou marcou. Se fez anotações nas margens, pergunte-se por quê. Pense, por um instante, na jornada que você fez sobre o arco deste livro. Quais histórias mexeram com você? Onde você se viu nestas páginas? Quais ideias fizeram sentido para você? E em qual área de sua vida você decidiu se esforçar?

Lembre-se de que só ficar concordando mudará muito pouca coisa em sua vida; somente a ação tem o poder de mudar tudo para você. Pare de pensar, planejar, lamentar e ruminar. Apenas comece. Listas são coisas de amadores; a ação é para os não distraídos. Se gosta de planejar, bole um plano para viver de maneira mais deliberada, para ser mais presente e cultivar o foco que talvez você tenha perdido. Volte a transformar em vinho o que se tornou água em sua vida.

Não seja duro consigo mesmo ao tentar coisas novas, certo? Lembre-se: Deus se deleita em você, e Ele o fez para se deleitar

Nele. Algumas coisas que você tentar darão certo, e muitas outras não. Os resultados não são um reflexo de seu valor nem um referendo sobre seu caráter. Quando os contratempos inevitáveis acontecerem, concentre-se e aprenda; não fique sofrendo ou se lamentando. Em vez de abandonar o que busca, desapegue-se do resultado e viva a liberdade recém-descoberta que acompanhará essa mudança de abordagem. Decida com antecedência que seu objetivo será influenciar seu ambiente e as pessoas que fazem parte dele sem tentar controlar tudo e todos. Faça isso e terá menos distrações na vida.

Uma frase famosa de Ann Landers diz o seguinte: "Existem dois tipos de pessoas no mundo. As que entram em um lugar e dizem 'Aqui estou eu' e as que entram em um lugar e dizem 'Aí está você'." Seja o tipo de pessoa que diz "Aí está você" a quem encontra. Reserve um tempo para reduzir sua agenda lotada e observe o que está acontecendo ao seu redor e quem está à sua frente.

Sei que está acontecendo muita coisa na sua vida. Na minha também. Mas, antes que você se distraia com outras coisas, gostaria que soubesse o que aconteceu com alguns amigos meus e com as circunstâncias mencionadas nestes capítulos.

Ainda canto para minha Amada Maria toda manhã, e ela ainda grunhe e revira os olhos. Acho que, lá dentro, ela está começando a gostar de minhas músicas. Já voltei ao Iraque mais algumas vezes, mas hoje me atenho às áreas pavimentadas. O The Oaks Retreat Center está cheio de funcionários e participantes incríveis a cada semana, e estamos aprendendo uma porção de coisas. Ainda não fui mordido por uma cascavel, mas não perdi as esperanças. Nunca conheci a mulher cujo marca-passo parou na minha primeira visita. Mas, se eu tiver uma chance de reencontrá-la, darei outro beijo nela.

Ed ainda é o guitarrista solo de Carrie Underwood e continua derretendo corações com sua música. Lembro-me constantemente da bela verdade de que já fui convidado para a vida grandiosa da qual Jesus falou, em vez de me contentar em assistir de longe. Espero que você faça o mesmo. Não vou mais aceitar um não como resposta, mas isso não significa que sempre conseguirei um sim. Todos os dias colo esse lembrete na minha camisa com fita adesiva.

Vejo Jesus na sala com mais frequência do que antes. Embora me restem menos dias que no passado, ainda tenho o suficiente para cometer o tipo certo de erro. Atualmente meu coração bate forte e pelas coisas certas. Ainda recebo várias ligações por conta dos livros. Não as considero interrupções ou distrações, mas convites. Ligue pra mim qualquer hora dessas. O número do meu celular é (619) 985-4747.

Ainda viajo para San Quentin todos os meses. Os rapazes são professores maravilhosos, e continuo sendo seu aluno. Estamos aprendendo coisas reais e consistentes e encontrando liberdade nesse empenho. Ainda piloto, mas somente aviões que estão em melhor forma do que aqueles em que confiei no passado. Sempre faço a verificação GUMPS e já decidi que, se houver outro problema, nivelarei as asas, ganharei altitude e usarei a bússola. Faça o mesmo e também chegará ao seu destino.

Ainda há pessoas difíceis em minha vida, e aposto que na sua há algumas também. Estou tentando queimar a madeira seca, em vez das verdes. Tenho um neto que logo irá para o jardim de infância, e veremos quanto tempo ele durará lá. Espero que um dia a mais que eu. Ainda me pergunto constantemente de onde vêm as histórias de minha vida, quais regras criei em torno das histórias e como posso encontrar outras que sejam mais verdadeiras, mais bonitas e atualizadas. Enquanto faço isso, ainda peço a Jesus que me ajude com minha falta de crença e a segurá-Lo pelos punhos.

Tomo um pouco mais de cuidado nos carros em que entro no aeroporto. Passo menos tempo estudando Jesus e mais tempo seguindo-O, vigiando meu coração enquanto faço isso.

Jon e Lindsey tiveram um filho. Richard e Ashley também. E Adam e Kaitlyn se casaram. Não será a altura da árvore genealógica que importará, mas a profundidade de suas raízes.

Efrim ainda treina cavalos velozes para correr ainda mais, e Red continua voltando ao celeiro para comer minhas cenouras. A égua marrom de cauda preta teve um potro, e estamos treinando-o para correr bem rápido. Será fácil identificá-lo no Kentucky Derby; ele terá balões amarrados no corpo e um jóquei do meu tamanho e com a mesma cor de cabelo.

Bill continua lutando bravamente contra o câncer e, por enquanto, está vencendo. Laurie está ao seu lado e também é um páreo duro. O amor deles é muito sólido.

Obomo se formou na faculdade de direito e está se preparando para advogar em Uganda. Se precisar de alguma orientação legal por lá, ligue para outra pessoa; ainda estamos aprendendo. Não lançamos mais câmeras de paraquedas no Congo, mas construímos várias escolas. Um vulcão acabou com uma. Ficamos tão bravos que construímos mais três para substituí-la.

Hoje em dia, presto atenção às palavras que falo, sempre consciente de que nunca estou dando tiros de festim e que algumas de minhas palavras saem caro. Ainda carrego medalhas a todos os lugares aonde vou. Colocarei uma no peito do cara do Havaí e também guardarei uma para você, caso falhe. Nenhum de nós precisa de um cheque de US$1 bilhão, e sim de uma moeda cheia de graça.

Ainda monto a cavalo, caio de vez em quando, mas volto para o celeiro, em vez de correr atrás deles. Como Pinóquio, estou tentando ser mais verdadeiro, honesto, corajoso e altruísta. Bastam vinte segundos de coragem insana e uma vida inteira de prática.

Você sabe o bastante sobre mim pelas histórias que compartilhei a ponto de saber que sofro muito por ansiedade da separação e não gosto de despedidas. Esses são os resquícios das histórias que contei a mim mesmo ao longo dos anos de que as pessoas que amo me deixarão e não voltarão. No entanto, algo dentro de mim mudou, porque reescrevi as regras sobre essa história falsa. Acho que ficaremos juntos por toda a eternidade, talvez mais.

Quando Jesus estava se preparando para se despedir de seus amigos, assim como estou me preparando para me despedir de você, Ele disse isto: "Deixo a paz com vocês; minha paz eu lhes dou. Não a dou como o mundo lhes dá. Não perturbem seus corações e não tenham medo."[1] Com palavras um pouco diferentes, encontre sua paz com Deus, ache seu lugar no mundo, faça o que for preciso para estar onde seus pés estão. Com tudo o que você traz, com cada último grama de determinação dentro de si, recuse-se a continuar distraído.

Vejo você na Ilha de Tom Sawyer.

Bob

# NOTAS

## Capítulo 2: A Fechadura da Eternidade

1. 2 Coríntios 3:2–3.
2. Tiago 4:14.

## Capítulo 3: Libertando-se ao Voltar para Casa

1. Romanos 7:15.

## Capítulo 4: A Felicidade da Busca

1. 2 Coríntios 12:10; 1 Timóteo 6:6–7.
2. 2 Timóteo 1:6.

## Capítulo 6: Passe de Acesso Ilimitado

1. Lucas 23:49.
2. Tuan C. Nguyen, "A Short History of Duct Tape", 30 de julho de 2019, thoughtco.com, https://www.thoughtco.com/history-of-duct-tape-4040012.

3. "A Short History of Duct Tape", Tuan C. Nguyen, https://www. thoughtco.com/history-of-duct-tape-4040012.

## Capítulo 7: Jesus na Sala

1. Mateus 6:11.
2. 1 Coríntios 13:13.
3. Marcos 14:66–72.
4. Lucas 2:41–52
5. João 2:1–11.
6. Lucas 23:32–43 (Jesus, os criminosos e a crucificação); João 20:13–18 (Maria no túmulo); Lucas 24:13–35 (estrada para Emaús); João 21:4 (beira-mar).
7. Mateus 18:20.
8. "The Average Person Lives 27,375 Days. Make Each of Them Count", blog JoshuaKennon.com, https://www.joshuakennon. com/the-average-person-lives-27375-days-make-each-of- -them-count/.

## Capítulo 8: Nada de Stalkear, por Favor

1. 1. Provérbios 4:23.

## Capítulo 9: Fadas do Dente e Aviões que Encolhem

1. "Kid Logic (2016)", 16 de dezembro de 2016, https://www.thi- samericanlife.org/605/kid-logic-2016.
2. Marcos 9:24.
3. Hebreus 11:1.
4. Mateus 14:28–29.
5. Mateus 14:15–21.
6. Mateus 8:23–27.

7. O original diz: "Deus nos sussurra em nossos prazeres, fala em nossa consciência, mas grita em nossa dor", C. S. Lewis, *The Problem of Pain* (1940; repr., San Francisco: HarperSanFrancisco, 2001), 91.
8. Tiago 5:14.

## Capítulo 10: Considere-se uma Estrela

1. Mateus 26:39.
2. João 19:30.

## Capítulo 11: "Cessar-Fogo!"

1. Lucas 6:45.

## Capítulo 12: O Botão Errado

1. Benjamin Hardy, Ph.D., "23 Michael Jordan Quotes That Will Immediately Boost Your Confidence", Inc.com, https://www.inc.com/benjamin-p-hardy/23-michael-jordan-quotes-that-will-immediately-boost-your-confidence.html.

## Capítulo 13: O Nariz de Pinóquio

1. Atos 5:1–11.
2. "Whatever Happened to Pavlov's Dogs?", Headspace, 23 de outubro de 2013, https://phdheadspace.wordpress.com/2013/10/23/what-ever-happened-to-pavlovs-dogs/.

### Capítulo 14: As Desventuras de um Rejeitado em Série

1. "Puritanism", Chesterton in Brief, acesso em 8 de novembro de 2021, https://www.chesterton.org/puritanism/.
2. Steve Wright, https://www.goodreads.com/quotes/146279-experience-is-something-you-don-t-get-until-just-after-you.

### Capítulo 15: Pare de Correr Atrás do Cavalo

1. Matt Damon em *Compramos um Zoológico*, dirigido por Cameron Crowe (Los Angeles: 20th Century Fox, 2011).
2. Hebreus 12:1.

### Capítulo 16: Expulsos de Águas Rasas

1. Annie Dillard, *The Writing Life* (Nova York: Harper Perennial, 2013), 68.

### Capítulo 17: "Oh, Meu Deus!"

1. João 17:4.

### Capítulo 18: Cinco Minutos a Partir de Agora

1. Colossenses 3:23.

### Epílogo

1. João 14:27.

# ÍNDICE

## A

aceitação 64, 102
acessibilidade 80
achar o próprio caminho 118
Agência de Gestão de Emergências
    do Havaí 124–125
ajuda divina 54
ajudar os necessitados 82
alegria 6, 53, 67
  roubar a 73
alojamento para refugiados 1
amargura 97
amar os inimigos 82
amigo confiável 204
amor 64
  egoísta 138
  heróis do 185
anotações 2, 19
  Benjamin Franklin 19
  Bob Goff 19–20
  George Lucas 20–21
ansiedade da separação 215
antolhos 7
A Paixão de Cristo, filme 71
aparelhos eletrônicos 43
aprovação 158
armadilha do "Serei feliz quando
    e" 39
Artaxerxes, soberano persa 207
árvore genealógica 39, 165–167, 214
aspirações 95
atenção irracional 182
atos de bondade

e atenção 102
proposital 80
autenticidade 136, 137
autorreflexão 20

## B

benevolência 24
Bíblia 82, 140, 189
  Gênesis 192
Bob Goff
  abraços 183
  aeroporto internacional de San
    Diego 204–207
  anotações 83
  batalha naval 114–116
  Bill, amigo 97–99
  bisavô 165–166
  caixa-d'água 3–4
  caminhonete 181–183
  campo minado 1–2
  cantar 7
  carona 159–160
  cavalos 134–135
  contagem regressiva 39
  coração 12–13, 15–17
  crenças 90
  discussão 117–118
  Ed, amigo 58–60
  educação 47–53
  escoteiro 42
  governador de Erbil 120–121
  Gregg, amigo 178–179
  Havaí 65–66

Iraque 119–122
Jed, reparador de violões 203–204
Jim, luthier 199–202
  distrações 202
Jon, genro 54–56
Keith Green 101–102
ligações 103
momento barulhento 82–84
namoro 148–149
pai 168–169
palavras maldosas 117–118
professor Hodgkins 50–53
Red, cavalo 156–158
rejeição 144–146, 147–149
Sr. Wilson 187–190
stalkers 76–78
Uganda 105–111
  GASA 108–111
  Obomo 106–107, 111
visitas à prisão 24–27
voo para Arizona 30
bondade 40
bons hábitos diários 67
busca pela plenitude 5

## C

cão de Pavlov 139, 141
capital relacional 137
carma 170
Carrie Underwood, cantora 58
catástrofes momentâneas 151
Charles Manson, criminoso 24
cínicos 31–32
cinismo 32, 122
compaixão 24
compartilhar 163
Compramos um Zoológico, filme 155
comunidades religiosas 82
conexão 102
confiança 52
confissão 96
confusão 61
conjunto de crenças 90
consciência aguçada 131
conselheiro sábio 204
consequências não intencionais 69
contratempos 206
  inevitáveis 212
controlar as decepções 40

conversas seguras e honestas 90
coragem insana 214
corredor da morte 24
criança-prodígio 47
Cruz Vermelha 194
curiosidade 196

## D

dar o dízimo 81
decepções 151–152, 206
decisões 36–37, 44–45
Declaração contra a Distração 45
deixar de ser autêntico 135
Deus
  graça de 162
  plano de 152
  união com 184
diminuir a influência 137
disponibilidade 102, 104, 107
distração 2, 4
  cordas da 5
diversidade 185
doador da verdade 120
doar dinheiro 81
doenças 96
Don, eremita 159–163
Duas Semanas de Prazer, filme 189
dúvidas 91

## E

efeito cascata 69
ego 190
egoísmo 43
emoção negativa 116
empatia 40
encontros acidentais 80
energia
  emocional 169
  irritadiça e desenfreada 68
enfrentar obstáculos 62
episódios de This American Life
    87–88
escolhas de carreira 4
Escrituras 8, 61, 83, 184
esperança 68
  e propósito 56
Estado Islâmico (EIIS) 119
Estrada Romana 80

estratégia 208
estresse 17
Exército de Resistência do Senhor 106
expectativas 49
  tóxicas 29

## F

falha como objetivo 53
falhas 52–54, 126–129, 130–131
falsas crenças 88
fantasias familiares 38
fé 4, 7, 41, 91
  de criança 15, 21
  dúvidas em sua 95
  mutante 32
  vida de 81
felicidade 37, 39
  relacionamentos 37, 43
foco 6
  constante 67
fracassos passados 2

## G

genealogias bíblicas 80
G. K. Chesterton, autor 153
graça 54
gratidão 102
guerra civil, Uganda 105–106
Guerra Fria 125
GUMPS 35–36

## H

hábitos 43, 45
honestidade 26, 91

## I

ideias ousadas 152
incentivar uma mudança 193
incredulidade 92
inevitabilidade de um erro 131
inseguranças 28, 32, 206
  arraigadas 2
introspecção 91
inveja 26
inventar histórias 167–174

## J

jardim de Getsêmani 105
Jesus 8, 13, 41
  sacrifício de 131
Jim Caviezel, ator 70–71

## K

Keith Green, músico 101–102
Kobe Bryant, jogador de basquete 36

## L

limites 79, 84–85
linguagem corporal 38, 41
Love Does 119
luta por foco 4
luto prolongado 97

## M

mágoas 25
mal-entendidos 179–180, 185
Maria Goff 149–150
meias-verdades 169–170, 174
memórias inúteis 126
milagre 96
momento de quietude 82–83
mortalidade, encontro com a 98
mudança de abordagem 212
mudar de mentalidade 60
mundo interno 19

## N

narrativa dominante 173
Náufrago, filme 93
Navalha de Occam, teoria 177–179, 183
Neemias 207–210
  distrações 207–208
noções preconcebidas 141

## O

obediência 146
objetivos 158
obsessão 183
ódio 122
orgulho 135

## P

palavras 116–117
  coração 116–117, 122
  de amor 122
  de verdade e beleza 119
  poder das 116–119, 121–122
    Brad, amigo 118–119
pandemia da COVID-19 150
passe de acesso ilimitado 60–61
  reação dos demais 61
pessimismo 32
Peter Pan 29
Pinóquio 136–137
plano
  de autocuidado 210
  de mestre 81
plenitude 6
poder do propósito e da alegria 148
pontos de referência 66, 69, 72
popularidade 4
pressões financeiras 2
procrastinação 137
  armadilha da 73
  consciente 203
produtividade vazia 68
programa sabático 195
propósito 6–7, 53
  grandioso 164
  vida de 198
psicologia reversa 118

## R

redescobrir a alegria 37
reinício 13
rejeição 144–146, 153
relacionamentos 70
resistência 53
respostas condicionadas 140–141
ressentimento 25
ressuscitação cardiopulmonar 149
resultados imprevistos 153
Revolução Iraquiana 120
Roosevelt, presidente dos EUA 63

## S

sã doutrina 185
San Quentin, presídio 24

Segunda Guerra Mundial 62
ser quem é 29
simpatia 40–41
síndrome de Tourette 186
Sócrates, filósofo 20
sonhos desorientados 62
stalkear Jesus 80–81, 85
stalkers 76–79

## T

tapar o sol com a peneira 167
teologia 203
terminar o trabalho 203
termos negativos 118
The Oaks, centro de retiro 3, 133–134,
  151, 156
trabalho 190–196
  duro 148
  importante 208
  mudar de 193–194
tradições culturais 119

## V

vale "Oh, não" 209
Velho Testamento 97
vergonha 53
Vesta Stoudt 62–64
vibrações negativas 32
vida de surpresas 141
vírus do HIV 105
visão distorcida de riqueza 5
viver em negação 174
voluntariado 194
vulnerabilidade 26

## Projetos corporativos e edições personalizadas
dentro da sua estratégia de negócio. Já pensou nisso?

**Coordenação de Eventos**
Viviane Paiva
viviane@altabooks.com.br

**Assistente Comercial**
Fillipe Amorim
vendas.corporativas@altabooks.com.br

A Alta Books tem criado experiências incríveis no meio corporativo. Com a crescente implementação da educação corporativa nas empresas, o livro entra como uma importante fonte de conhecimento. Com atendimento personalizado, conseguimos identificar as principais necessidades, e criar uma seleção de livros que podem ser utilizados de diversas maneiras, como por exemplo, para fortalecer relacionamento com suas equipes/ seus clientes. Você já utilizou o livro para alguma ação estratégica na sua empresa?

Entre em contato com nosso time para entender melhor as possibilidades de personalização e incentivo ao desenvolvimento pessoal e profissional.

## CONHEÇA OUTROS LIVROS DA **ALTA BOOKS**

Todas as imagens são meramente ilustrativas.

## PUBLIQUE SEU LIVRO

Publique seu livro com a Alta Books.
Para mais informações envie um e-mail para: autoria@altabooks.com.br

 /altabooks   /alta-books   /altabooks   /altabooks

Este livro foi impresso nas oficinas gráficas da Editora Vozes Ltda.,
Rua Frei Luís, 100 – Petrópolis, RJ.